아이가 주인공인 책

아이는 스스로 생각하고 매일 성장합니다.
부모가 아이를 존중하고 그 가능성을 믿을 때
새로운 문제들을 스스로 해결해 나갈 수 있습니다.

<기적의 학습서>는 아이가 주인공인 책입니다.
탄탄한 실력을 만드는 체계적인 학습법으로
아이의 공부 자신감을 높여 줍니다.

아이의 가능성과 꿈을 응원해 주세요.
아이가 주인공인 분위기를 만들어 주고,
작은 노력과 땀방울에 큰 박수를 보내 주세요.
<기적의 학습서>가 자녀 교육에 힘이 되겠습니다.

기적의
계산법
응용 up

기적의 계산법 응용UP · 4권

초판 발행 2021년 1월 15일
초판 8쇄 발행 2023년 6월 5일

지은이 기적학습연구소
발행인 이종원
발행처 길벗스쿨
출판사 등록일 2006년 7월 1일
주소 서울시 마포구 월드컵로 10길 56(서교동)
대표 전화 02)332-0931 | **팩스** 02)333-5409
홈페이지 school.gilbut.co.kr | **이메일** gilbut@gilbut.co.kr

기획 김미숙(winnerms@gilbut.co.kr) | **책임편집** 김미숙
제작 이준호, 손일순, 이진혁 | **영업마케팅** 문세연, 박다슬 | **웹마케팅** 박달님, 정유리, 윤승현
영업관리 김명자, 정경화 | **독자지원** 윤정아, 최희창
디자인 정보라 | **표지 일러스트** 김다예 | **본문 일러스트** 류은형
전산편집 글사랑 | **CTP 출력·인쇄·제본** 벽호

▶ 본 도서는 '절취선 형성을 위한 제본용 접지 장치(Folding apparatus for bookbinding)' 기술 적용도서입니다.
   특허 제10-2301169호
▶ 잘못 만든 책은 구입한 서점에서 바꿔 드립니다.

ISBN 979-11-6406-298-0 64410
(길벗스쿨 도서번호 10725)

정가 9,000원

· ·

독자의 1초를 아껴주는 정성 길벗출판사
길벗스쿨 | 국어학습서, 수학학습서, 유아학습서, 어학학습서, 어린이교양서, 교과서
길벗 | IT실용서, IT/일반 수험서, IT전문서, 경제실용서, 취미실용서, 건강실용서, 자녀교육서
더퀘스트 | 인문교양서, 비즈니스서
길벗이지톡 | 어학단행본, 어학수험서

기적학습연구소 수학연구원 엄마의 고군분투서!

저는 게임과 유튜브에 빠져 공부에는 무념무상인 아들을 둔 엄마입니다.

오늘도 아들이 조금 눈치를 보는가 싶더니 '잠깐만, 조금만'을 일삼으며 공부를 내일로 또 미루네요.

'그래, 공부보다는 건강이지.' 스스로 마음을 다잡다가도 고학년인데 여전히 공부에

관심이 없는 녀석의 모습을 보고 있자니 저도 모르게 한숨이…….

5학년이 된 아들이 일주일에 한두 번씩 하교 시간이 많이 늦어져서 하루는 앉혀 놓고 물어봤습니다.

수업이 끝나고 몇몇 아이들은 남아서 틀린 수학 문제를 다 풀어야만 집에 갈 수 있다고 하더군요.

맙소사, 엄마가 회사에서 수학 교재를 십수 년째 만들고 있는데, 아들이 수학 나머지 공부라니요? 정신이 번쩍 들었습니다.

저학년 때는 어쩌다 반타작하는 날이 있긴 했지만 곧잘 100점도 맞아 오고 해서 '그래, 머리가 나쁜 건 아니야.' 하고 위안을 삼으며

'아직 저학년이잖아. 차차 나아지겠지.'라는 생각에 공부를 강요하지 않았습니다.

그런데 아이는 어느새 훌쩍 자라 여느 아이들처럼 수학 좌절감을 맛보기 시작하는 5학년이 되어 있었습니다.

학원에 보낼까 고민도 했지만, 그래도 엄마가 수학 전문가인데… 영어면 모를까 내 아이 수학 공부는 엄마표로 책임져 보기로 했습니다.

아이도 나머지 공부가 은근 자존심 상했는지 엄마의 제안을 순순히 받아들이더군요. 매일 계산법 1장, 문장제 1장, 초등수학 1장씩 수

학 공부를 시작했습니다. 하지만 기초도 부실하고 학습 습관도 안 잡힌 녀석이 갑자기 하루 3장씩이나 풀다보니 힘에 부쳤겠지요.

호기롭게 시작한 수학 홈스터디는 공부량을 줄이려는 아들과의 전쟁으로 변질되어 갔습니다. 어떤 날은 애교와 엄살로 3장이 2장이 되고,

어떤 날은 울음과 샤우팅으로 3장이 아예 없던 일이 되어버리는 등 괴로움의 연속이었죠. 문제지 한 장과 게임 한 판의 딜이 오가는 일

도 비일비재했습니다. 곧 중학생이 될 텐데… 엄마만 조급하고 녀석은 점점 잔꾀만 늘어가더라고요. 안 하느니만 못한 수학 공부 시간

을 보내며 더이상 이대로는 안 되겠다 싶은 생각이 들었습니다. 이 전쟁을 끝낼 묘안이 절실했습니다.

우선 아이의 공부력에 비해 너무 과한 욕심을 부리지 않기로 했습니다. 매일 퇴근길에 계산법 한쪽과 문장제 한쪽으로 구성된 아이만의

맞춤형 수학 문제지를 한 장씩 만들어 갔지요. 그리고 아이와 함께 풀기 시작했습니다. 앞장에서 꼭 필요한 연산을 익히고, 뒷장에서

연산을 적용한 문장제나 응용문제를 풀게 했더니 응용문제도 연산의 연장으로 받아들이면서 어렵지 않게 접근했습니다. 아이 또한 확

줄어든 학습량에 아주 만족해하더군요. 물론 평화가 바로 찾아온 것은 아니었지만, 결과는 성공적이었다고 자부합니다.

이 경험은 <기적의 계산법 응용UP>을 기획하고 구현하게 된 시발점이 되었답니다.

1. 학습 부담을 줄일 것! 딱 한 장에 앞 연산, 뒤 응용으로 수학 핵심만 공부하게 하자.

2. 문장제와 응용은 꼭 알아야 하는 학교 수학 난이도만큼만! 성취감, 수학자신감을 느끼게 하자.

3. 욕심을 버리고, 매일 딱 한 장만! 짧고 굵게 공부하는 습관을 만들어 주자.

이 책은 위 세 가지 덕목을 갖추기 위해 무던히 애쓴 교재입니다.

<기적의 계산법 응용UP>이 저와 같은 고민으로 괴로워하는 엄마들과 언젠가는 공부하는 재미에

푹 빠지게 될 아이들에게 울트라 종합비타민 같은 선물이 되길 진심으로 바랍니다.

길벗스쿨 기적학습연구소에서

매일 한 장으로 완성하는 **응용UP 학습설계**

Step 1

핵심개념 이해

▶ 단원별 핵심 내용을 시각화하여 정리하였습니다. 연산방법, 개념 등을 정확하게 이해한 다음, 사진을 찍듯 머릿속에 담아 두세요. 개념정리만 묶어 나만의 수학개념모음집을 만들어도 좋습니다.

Step 2

연산＋응용 균형학습

뒤집으면

▶ 앞 연산, 뒤 응용으로 구성되어 있어 매일 한 장 학습으로 연산훈련 뿐만 아니라 연산적용 응용문제까지 한번에 학습할 수 있습니다. 매일 한 장씩 뜯어서 균형잡힌 연산 훈련을 해 보세요.

Step 3

평가로 실력점검

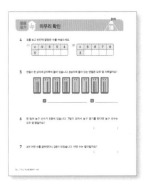

▶ 점수도 중요하지만, 얼마나 이해하고 있는지를 아는 것이 더 중요합니다. 배운 내용을 꼼꼼하게 확인하고, 틀린 문제는 앞으로 돌아가 한번 더 연습하세요.

▶ 매일 연산+응용으로 균형 있게 훈련합니다.

매일 하는 수학 공부, 연산만 편식하고 있지 않나요?
수학에서 연산은 에너지를 내는 탄수화물과 같지만,
그렇다고 밥만 먹으면 영양 불균형을 초래합니다.
튼튼한 근육을 만드는 단백질도 꼭꼭 챙겨 먹어야지요.
기적의 계산법 응용UP은 매일 한 장 학습으로
계산력과 응용력을 동시에 훈련할 수 있도록 만들었습니다.
앞에서 연산 반복훈련으로 속도와 정확성을 높이고,
뒤에서 바로 연산을 활용한 응용 문제를 해결하면서
문제이해력과 연산적용력을 키울 수 있습니다.
균형잡힌 연산 + 응용으로 수학기본기를 빈틈없이 쌓아 나갑니다.

▶ 다양한 응용 유형으로 폭넓게 학습합니다.

반복연습이 중요한 연산, 유형연습이 중요한 응용!
문장제형, 응용계산형, 빈칸추론형, 논리사고형 등 다양한 유형의 응용 문제에 연산을 적용해 보면서
연산에 대한 수학적 시야를 넓히고, 튼튼한 수학기초를 다질 수 있습니다.

| 문장제형 | 응용계산형 | 빈칸추론형 | 논리사고형 |

▶ 뜯기 한 장으로 언제, 어디서든 공부할 수 있습니다.

한 장씩 뜯어서 사용할 수 있도록 칼선 처리가 되어 있어
언제 어디서든 필요한 만큼 쉽게 공부할 수 있습니다.
매일 한 장씩 꾸준히 풀면서 공부 습관을 길러 봅니다.

차 례

DAY

01
네 자리 수

· 학습기록표 ·

학습 일차	학습 내용	날짜	맞은 개수	
			연산	응용
DAY 1	**네 자리 수 ①** 천, 몇천	/	/6	/6
DAY 2	**네 자리 수 ②** 네 자리 수 읽기, 쓰기	/	/14	/6
DAY 3	**네 자리 수 ③** 네 자리 수의 구성	/	/8	/4
DAY 4	**자릿값 ①** 네 자리 수의 분해: 덧셈식으로 나타내기	/	/5	/5
DAY 5	**자릿값 ②** 각 자리 숫자와 나타내는 값	/	/6	/4
DAY 6	**뛰어서 세기**	/	/7	/5
DAY 7	**크기 비교 ①** 두 수의 크기 비교	/	/16	/5
DAY 8	**크기 비교 ②** 세 수의 크기 비교	/	/12	/2
DAY 9	**크기 비교 ③** 네 자리 수 만들기	/	/6	/4
DAY 10	**마무리 확인**	/		/11

책상에 붙여 놓고
매일매일 기록해요.

1. 네 자리 수

▶ 1000

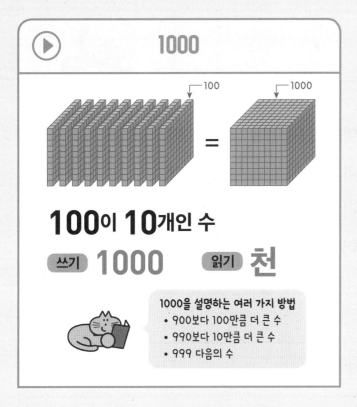

100이 **10**개인 수

쓰기 **1000**   읽기 **천**

1000을 설명하는 여러 가지 방법
- 900보다 100만큼 더 큰 수
- 990보다 10만큼 더 큰 수
- 999 다음의 수

▶ 몇천

1000이 **3**개인 수

쓰기 **3000**   읽기 **삼천**

1000이 ★개인 수
➡ ★000

▶ 네 자리 수

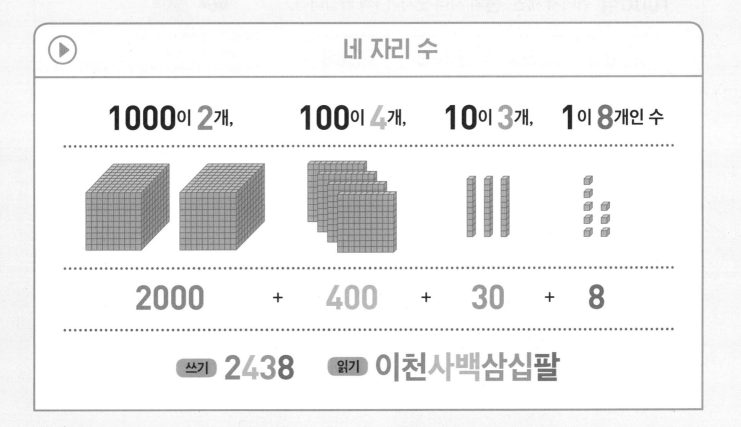

1000이 **2**개,   **100**이 **4**개,   **10**이 **3**개,   **1**이 **8**개인 수

2000   +   400   +   30   +   8

쓰기 **2438**   읽기 **이천사백삼십팔**

각 자리 숫자와 나타내는 값

천의 자리	백의 자리	십의 자리	일의 자리
2	4	3	8

2438에서

2438
=2000 + 400 + 30 + 8

↓

2	0	0	0
	4	0	0
		3	0
			8

2는 **천**의 자리 숫자이고, **2000**을 나타냅니다.

4는 **백**의 자리 숫자이고, **400**을 나타냅니다.

3은 **십**의 자리 숫자이고, **30**을 나타냅니다.

8은 **일**의 자리 숫자이고, **8**을 나타냅니다.

뛰어서 세기

1000씩 뛰어서 세면 **천**의 자리 숫자가 1씩 커집니다.

1368	—	2368	—	3368	—	4368

바로
개념

100씩 뛰어서 세면 백의 자리 숫자가,
10씩 뛰어서 세면 십의 자리 숫자가,
1씩 뛰어서 세면 일의 자리 숫자가 1씩 커져!

네 자리 수의 크기 비교

❶ 천의 자리 수부터 비교합니다.   **4619** < **5317**

❷ 천의 자리 수가 같으면 백의 자리 수를 비교합니다.   **1619** > **1315**

❸ 천, 백의 자리 수가 같으면 십의 자리 수를 비교합니다.   **2194** > **2118**

❹ 천, 백, 십의 자리 수가 같으면 일의 자리 수를 비교합니다. **1742** < **1747**

네 자리 수 ① 천, 몇천

수 모형을 보고 모두 얼마인지 수를 쓰세요.

1

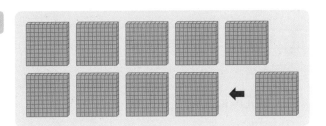

900보다 100만큼 더 큰 수

➡ | 1 | 0 | 0 | 0 |

4

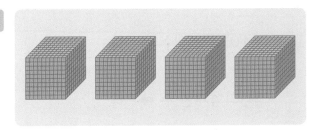

1000이 4개인 수

➡ | | | | |

2

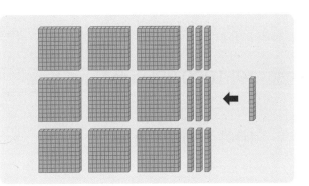

990보다 10만큼 더 큰 수

➡ | | | | |

5

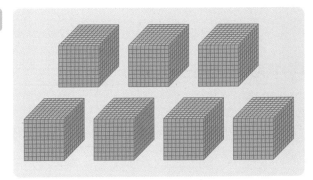

1000이 ☐ 개인 수

➡ | | | | |

3

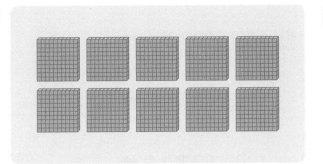

100이 10개인 수

➡ | | | | |

6

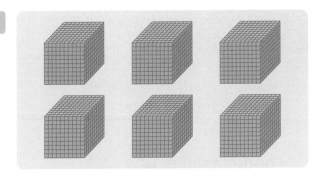

1000이 ☐ 개인 수

➡ | | | | |

빈 곳에 알맞은 수를 쓰세요.

0의 개수를 세어 보자!

1

1이 4개인 수 ➡ 4

10이 4개인 수 ➡ 4 0
└── 0이 1개 ──┘

100이 4개인 수 ➡ ⬚ ⬚ ⬚
└── 0이 2개 ──┘

1000이 4개인 수 ➡ ⬚ ⬚ ⬚ ⬚
└── 0이 3개 ──┘

4

100이 10개인 수 ➡ ⬚ ⬚ ⬚ ⬚
└─┘ 0이 3개

100이 20개인 수 ➡ ⬚ ⬚ ⬚ ⬚

100이 30개인 수 ➡ ⬚ ⬚ ⬚ ⬚

100이 40개인 수 ➡ ⬚ ⬚ ⬚ ⬚

2

1000이 5개인 수 ➡ _____

1000이 8개인 수 ➡ _____

1000이 3개인 수 ➡ _____

1000이 9개인 수 ➡ _____

5

1이 1000개인 수 ➡ _____

10이 100개인 수 ➡ _____

100이 10개인 수 ➡ _____

1000이 1개인 수 ➡ _____

3

100이 25개인 수 ➡ _____

100이 33개인 수 ➡ _____

100이 74개인 수 ➡ _____

100이 86개인 수 ➡ _____

6

10이 600개인 수 ➡ _____

1이 6000개인 수 ➡ _____

100이 60개인 수 ➡ _____

1000이 6개인 수 ➡ _____

네 자리 수 ② 네 자리 수 읽기, 쓰기

수를 읽거나 숫자로 쓰세요.

1 1354 읽기 → 천삼백오십사

8 삼천백칠십오 쓰기 → 3175

2 5000 읽기 →

9 이천사백 쓰기 →

3 3318 읽기 →

10 오천삼백십구 쓰기 →

4 2934 읽기 →

11 구천오백이십이 쓰기 →

5 4809 읽기 →

12 팔천육백칠십육 쓰기 →

6 7056 읽기 →

13 육천이백사 쓰기 →

7 8491 읽기 →

14 사천삼 쓰기 →

정원이와 친구들이 가지고 있는 돈은 각각 얼마일까요?

1

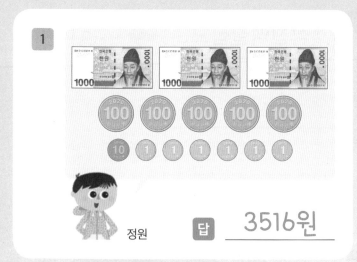

정원 답 **3516원**

2

경희 답 _____

3

하진 답 _____

4

└─ 100원짜리 10개 = 1000원

미나 답 _____

5

연서 답 _____

6

나주 답 _____

네 자리 수 ③ 네 자리 수의 구성

빈칸에 알맞은 수를 써넣으세요.

1 1000이 3개
100이 4개
10이 9개
1이 7개
이면

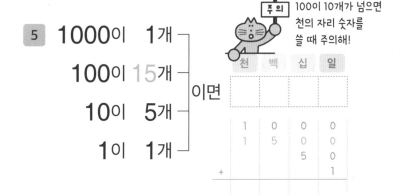

5 1000이 1개
100이 15개
10이 5개
1이 1개
이면

100이 10개가 넘으면 천의 자리 숫자를 쓸 때 주의해!

2 1000이 4개
100이 7개
10이 3개
1이 8개
이면

6 1000이 1개
100이 21개
10이 7개
1이 5개
이면

3 1000이 1개
100이 2개
10이 4개
1이 6개
이면

7 1000이 5개
100이 6개
10이 32개
1이 4개
이면

4 1000이 9개
100이 8개
10이 0개
1이 3개
이면

8 1000이 5개
100이 10개
10이 1개
1이 2개
이면

1 민영이는 빵집에서 빵을 사고 **1000원짜리** 지폐 **3장**, **100원짜리** 동전 **4개**, **10원짜리** 동전 **20개**를 냈습니다. 민영이가 낸 돈은 모두 얼마일까요?

1000원짜리   3장 ➡ 3000원
100원짜리   4개 ➡   400원
10원짜리 20개 ➡   200원
─────────────────────
낸 돈 ➡ 3600원

답 _____

2 구슬이 **1000개씩 6상자**, **100개씩 3상자**, **10개씩 8봉지**, 낱개로 **9개** 있습니다. 구슬은 모두 몇 개일까요?

답 _____

3 저금통을 열었더니 천 원짜리 지폐가 **2장**, 백 원짜리 동전이 **12개**, 십 원짜리 동전이 **4개** 있었습니다. 저금통에 들어 있던 돈은 모두 얼마일까요?

답 _____

4 공책이 **100권씩 47상자**, **10권씩 16묶음**, 낱권으로 **1권** 있습니다. 공책은 모두 몇 권일까요?

답 _____

수를 보고 자릿값을 생각하며 빈 곳에 알맞은 수를 써넣으세요.

1 1168

1000이 1개	100이 1개	10이 6개	1이 8개
1000	100	60	8

➡ 1168 = 1000 + 100 + 60 + 8

2 2345

1000이 2개	100이 3개	10이 4개	1이 5개

➡ 2345 = _____ + _____ + _____ + _____

3 7777

1000이 7개	100이 7개	10이 7개	1이 7개

➡ 7777 = _____ + _____ + _____ + _____

4 9031

1000이 9개	100이 0개	10이 3개	1이 1개

➡ 9031 = _____ + _____ + _____ + _____

5 4608

1000이 4개	100이 6개	10이 0개	1이 8개

➡ 4608 = _____ + _____ + _____ + _____

DAY 4

수를 다양한 덧셈식으로 나타내세요.

1. $1234 = 1000 + 200 + 30 + \boxed{4}$
   $1234 = 1204 + \boxed{30}$
   $1234 = 1004 + \boxed{230}$
   $1234 = 234 + \boxed{1000}$

'0'이 써진 자리에 어떤 숫자가 있었는지만 알면 되네.

2. $3333 = 3330 + \boxed{}$
   $3333 = 3300 + \boxed{}$
   $3333 = 3000 + \boxed{}$
   $3333 = 3033 + \boxed{}$

3. $9876 = 876 + \boxed{}$
   $9876 = 9076 + \boxed{}$
   $9876 = 9806 + \boxed{}$
   $9876 = 870 + \boxed{}$

4. $4805 = 4000 + 800 + \boxed{}$
   $4805 = 4000 + \boxed{}$
   $4805 = 4005 + \boxed{}$
   $4805 = 5 + \boxed{}$

5. $6127 = 7 + \boxed{} + 100 + 6000$
   $6127 = 6007 + \boxed{}$
   $6127 = 6027 + \boxed{}$
   $6127 = 107 + \boxed{}$

수를 보고 □ 안에 알맞은 수를 써넣으세요.

1 3159

- 천의 자리 숫자는 [3]
- 백의 자리 숫자는 [ ]
- 십의 자리 숫자는 [ ]
- 일의 자리 숫자는 [ ]

4 3148

- 3이 나타내는 값은 [3000]
- 1이 나타내는 값은 [ ]
- 4가 나타내는 값은 [ ]
- 8이 나타내는 값은 [ ]

2 9305

- 일의 자리 숫자는 [ ]
- 십의 자리 숫자는 [ ]
- 백의 자리 숫자는 [ ]
- 천의 자리 숫자는 [ ]

5 7456

- 6이 나타내는 값은 [ ]
- 5가 나타내는 값은 [ ]
- 4가 나타내는 값은 [ ]
- 7이 나타내는 값은 [ ]

3 6874

- 백의 자리 숫자는 [ ]
- 일의 자리 숫자는 [ ]
- 십의 자리 숫자는 [ ]
- 천의 자리 숫자는 [ ]

6 5293

- 9가 나타내는 값은 [ ]
- 5가 나타내는 값은 [ ]
- 3이 나타내는 값은 [ ]
- 2가 나타내는 값은 [ ]

1 천의 자리 숫자가 6, 백의 자리 숫자가 3, 십의 자리 숫자가 5, 일의 자리 숫자가 4인 네 자리 수를 쓰세요.

천	백	십	일

답

2 천의 자리 숫자가 8, 백의 자리 숫자가 나타내는 값이 200, 십의 자리 숫자가 0, 일의 자리 숫자가 7인 네 자리 수를 쓰세요.

답

3 다음 중 밑줄 친 숫자 5가 50을 나타내는 수를 찾아 쓰세요.

| 413<u>5</u> | <u>5</u>692 | 285<u>7</u> | 1<u>5</u>40 |

답 _____

4 다음 조건을 모두 만족하는 네 자리 수를 구하세요.

- 천의 자리 숫자는 7입니다.
- 백의 자리 숫자는 일의 자리 숫자보다 3만큼 더 큽니다.
- 십의 자리와 일의 자리 숫자는 모두 3입니다.

답 _____

뛰어서 세는 규칙을 찾아 빈칸에 알맞은 수를 써넣으세요.

1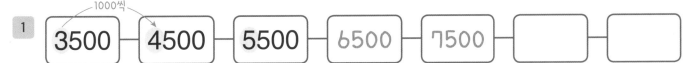

1000씩

3500 — 4500 — 5500 — 6500 — 7500 — ☐ — ☐

2 6748 — 6758 — 6768 — ☐ — ☐ — ☐ — ☐

3 5916 — 5917 — ☐ — ☐ — 5920 — 5921 — ☐

4 4382 — ☐ — 4582 — 4682 — 4782 — ☐ — ☐

5 ☐ — 2059 — 3059 — ☐ — ☐ — 6059 — ☐

6 8827 — ☐ — 8829 — ☐ — 8831 — ☐ — 8833

7 5463 — 5453 — ☐ — 5433 — 5423 — ☐ — ☐

1 4084에서 출발하여 1000씩 4번 뛰어서 센 수를 구하세요.

답 _____

2 9312에서 출발하여 10씩 5번 뛰어서 센 수를 구하세요.

답 _____

3 2658에서 출발하여 100씩 거꾸로 3번 뛰어서 센 수를 구하세요.

답 _____

4 호진이는 3310원을 가지고 있습니다.
하루에 100원씩 5일 동안 더 모으면
호진이가 가진 돈은 얼마가 될까요?

3310에서 100씩 5번 뛰어 세자!

답 _____

5 과수원에 귤이 5520개 있습니다.
하루에 10개씩 4일 동안 먹으면
과수원에 남는 귤은 몇 개가 될까요?

귤을 10개씩 먹으면
하루에 10개씩 줄어들겠지?

답 _____

크기 비교 ① 두 수의 크기 비교

두 수의 크기를 비교하여 ○ 안에 > 또는 < 를 알맞게 써넣으세요.

1 **3500** < **4100**
　　3 < 4

2 6301 ○ 6047

3 1849 ○ 1847

4 3655 ○ 3664

5 4573 ○ 4577

6 8150 ○ 7998

7 6683 ○ 6629

8 9665 ○ 9780

9 7919 ○ 7863

10 5256 ○ 5250

11 3829 ○ 4245

12 1749 ○ 1752

13 8295 ○ 8320

14 6071 ○ 6069

15 5428 ○ 4612

16 2764 ○ 2767

1 색종이를 경선이는 2658장, 정훈이는 2749장 가지고 있습니다. 색종이를 더 많이 가지고 있는 사람은 누구일까요?

답 _____

2 도서관에 학습 만화책은 6276권, 동화책은 5560권 있습니다. 학습 만화책과 동화책 중에서 더 적은 것은 무엇일까요?

답 _____

3 문구점에서 물감은 3610원에 팔고, 필통은 3690원에 팝니다. 물감과 필통 중에서 더 비싼 것은 무엇일까요?

답 _____

4 현수네 학교 학생 수는 1217명이고, 서혜네 학교 학생 수는 1128명입니다. 현수네 학교와 서혜네 학교 중 학생이 더 적은 학교는 어디일까요?

답 _____

5 연우네 엄마는 1983년에 태어났고, 이모는 1980년에 태어났습니다. 엄마와 이모 중 먼저 태어난 사람은 누구일까요?

답 _____

세 수의 크기를 비교하여 가장 큰 수에 ◯표, 가장 작은 수에 △표 하세요.

1   6000   4000   5000

7   1736   1794   1683

2   4900   4908   5001

8   7676   7667   7609

3   2650   2100   3080

9   8255   8258   8522

4   4355   3227   4125

10   6459   6958   6559

5   9785   9877   9873

11   1575   1271   1157

6   5847   5581   5102

12   7683   7088   7806

버스 노선도를 보고 친구들이 타야 할 버스 번호를 찾아 주세요.

1

버스 노선도

7512

8024

5535

6713

7749

지훈: 난 번호가 가장 큰 버스를 타야 해.

진서: 난 가장 작은 번호를 가진 버스를 탈 거야.

재희: 난 번호가 두 번째로 큰 버스를 탈래.

2

버스 노선도

3717

4186

1593

2525

6500

경훈: 난 번호가 가장 작은 버스를 탈 거야.

세정: 난 세 번째로 작은 번호의 버스를 탈래.

영준: 난 번호가 가장 큰 버스를 기다리고 있어.

크기 비교 ③ 네 자리 수 만들기

수 카드 4장을 한 번씩 사용하여 가장 큰 네 자리 수와 가장 작은 네 자리 수를 각각 만드세요.

1

큰 수부터 차례로! →

가장 큰 수 | 8 | 7 | 5 | 4 |

가장 작은 수 | | | | |

작은 수부터 차례로! →

4

가장 큰 수 | | | | |

가장 작은 수 | | | | |

 5장의 수 카드 중에서 4장만 골라야 해!

2

가장 큰 수 | | | | |

가장 작은 수 | | | | |

5

가장 큰 수 | | | | |

가장 작은 수 | | | | |

3

가장 큰 수 | | | | |

가장 작은 수 | | | | |

 0은 맨 앞 자리에 올 수 없어.

6

가장 큰 수 | | | | |

가장 작은 수 | | | | |

1 수 카드 4장을 한 번씩 모두 사용하여
백의 자리 숫자가 **3**인 가장 큰 네 자리 수를 만드세요.

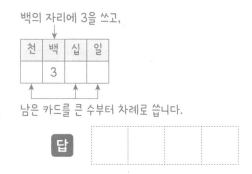

백의 자리에 3을 쓰고,

천	백	십	일
	3		

남은 카드를 큰 수부터 차례로 씁니다.

답

2 수 카드 4장을 한 번씩 모두 사용하여
십의 자리 숫자가 **1**인 가장 작은 네 자리 수를 만드세요.

답

3 수 카드 4장을 한 번씩 모두 사용하여
천의 자리 숫자가 **4**인 가장 큰 네 자리 수를 만드세요.

답

4 수 카드 5장 중에서 4장을 골라 한 번씩 사용하여
일의 자리 숫자가 **9**인 가장 작은 네 자리 수를 만드세요.

답

마무리 확인

1 1000이 2개, 100이 1개, 10이 9개, 1이 7개인 수를 쓰고 읽어 보세요.

쓰기 (   ), 읽기 (   )

2 4935를 덧셈식으로 나타내려고 합니다. 빈 곳에 알맞은 수를 써넣으세요.

4935	1000이 4개	100이 ☐개	10이 ☐개	1이 ☐개
	4000			

➡ 4935 = _____ + _____ + _____ + _____

3 수를 보고 ☐ 안에 알맞은 수를 써넣으세요.

(1) **7508**에서

- **천**의 자리 숫자는 ☐
- **백**의 자리 숫자는 ☐
- **십**의 자리 숫자는 ☐
- **일**의 자리 숫자는 ☐

(2) **9485**에서

- **5**가 나타내는 값은 ☐
- **8**이 나타내는 값은 ☐
- **4**가 나타내는 값은 ☐
- **9**가 나타내는 값은 ☐

4 두 수의 크기를 비교하여 ○ 안에 > 또는 < 를 알맞게 써넣으세요.

(1) 3759 ◯ 3795

(2) 6320 ◯ 6297

5 단추가 1000개씩 6상자, 10개씩 53봉지, 낱개로 9개 있습니다. 단추는 모두 몇 개일까요?

(   )

6 천의 자리 숫자가 8, 백의 자리 숫자가 1, 십의 자리 숫자가 0, 일의 자리 숫자가 7인 네 자리 수를 쓰세요.

(   )

7 1150에서 출발하여 1000씩 5번 뛰어서 센 수를 구하세요.

(   )

8 농장에서 토마토를 3358개, 가지를 3583개 수확했습니다. 토마토와 가지 중 더 많이 수확한 것은 무엇일까요?

(   )

9 수 카드 4장을 한 번씩 모두 사용하여 백의 자리 숫자가 7인 가장 작은 네 자리 수를 만드세요.

6 2 5 7

(   )

02

곱셈구구 (1)

· **학습계열표** ·

이전에 배운 내용

2-1 **곱셈**
· 묶어 세기
· 몇씩 몇 묶음
· 몇의 몇 배

▼

지금 배울 내용

2-2 **곱셈구구**
· 덧셈과 곱셈의 관계
· 2단, 3단, 4단, 5단 곱셈구구

▼

앞으로 배울 내용

2-2 **곱셈구구**
· 6단, 7단, 8단, 9단 곱셈구구
· 1단 곱셈구구와 0의 곱
· 곱셈표

3-1 **곱셈**
· (몇십)×(몇)
· (두 자리 수)×(한 자리 수)

· 학습기록표 ·

학습 일차	학습 내용	날짜	맞은 개수	
			연산	응용
DAY 11	**곱셈 원리** 같은 수를 여러 번 더하기	/	/10	/6
DAY 12	**곱셈구구①** 2단, 3단, 4단, 5단	/	/72	/4
DAY 13	**곱셈구구②** 2단, 3단, 4단, 5단	/	/36	/8
DAY 14	**곱셈구구③** 2단, 3단, 4단, 5단	/	/27	/4
DAY 15	**곱셈구구④** 2단, 3단, 4단, 5단	/	/27	/5
DAY 16	**곱셈구구 응용①** □의 값 구하기	/	/27	/4
DAY 17	**곱셈구구 응용②** □의 값 구하기	/	/27	/6
DAY 18	**마무리 확인**	/		/26

책상에 붙여 놓고
매일매일 기록해요.

2. 곱셈구구(1)

2단 곱셈구구

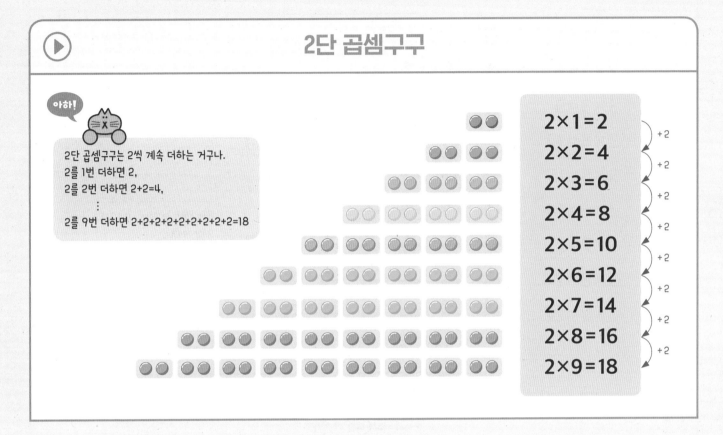

아하!

2단 곱셈구구는 2씩 계속 더하는 거구나.
2를 1번 더하면 2,
2를 2번 더하면 2+2=4,
⋮
2를 9번 더하면 2+2+2+2+2+2+2+2+2=18

$2×1=2$
$2×2=4$ +2
$2×3=6$ +2
$2×4=8$ +2
$2×5=10$ +2
$2×6=12$ +2
$2×7=14$ +2
$2×8=16$ +2
$2×9=18$ +2

5단 곱셈구구

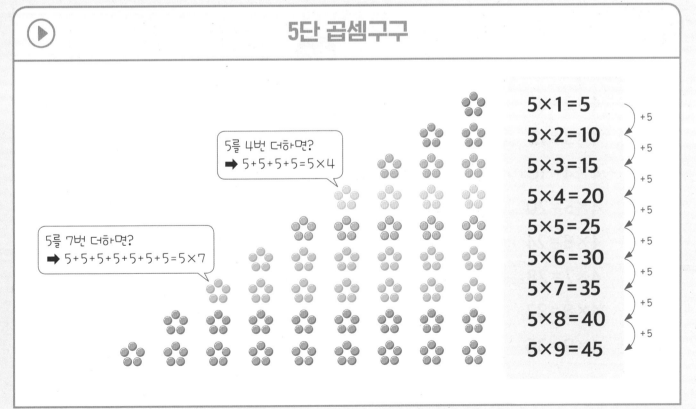

5를 4번 더하면?
➡ 5+5+5+5=5×4

5를 7번 더하면?
➡ 5+5+5+5+5+5+5=5×7

$5×1=5$
$5×2=10$ +5
$5×3=15$ +5
$5×4=20$ +5
$5×5=25$ +5
$5×6=30$ +5
$5×7=35$ +5
$5×8=40$ +5
$5×9=45$ +5

3단 곱셈구구

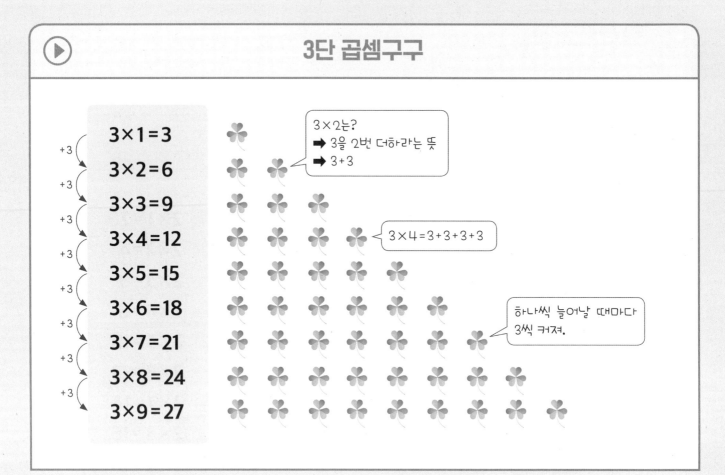

$3 \times 1 = 3$

$3 \times 2 = 6$

$3 \times 3 = 9$

$3 \times 4 = 12$

$3 \times 5 = 15$

$3 \times 6 = 18$

$3 \times 7 = 21$

$3 \times 8 = 24$

$3 \times 9 = 27$

+3

3×2는?
➡ 3을 2번 더하라는 뜻
➡ 3+3

$3 \times 4 = 3+3+3+3$

하나씩 늘어날 때마다 3씩 커져.

4단 곱셈구구

$4 \times 1 = 4$

$4 \times 2 = 8$

$4 \times 3 = 12$

$4 \times 4 = 16$

$4 \times 5 = 20$

$4 \times 6 = 24$

$4 \times 7 = 28$

$4 \times 8 = 32$

$4 \times 9 = 36$

+4

바로 개념

3단 곱셈구구는 곱이 3씩 커지고, 4단 곱셈구구는 곱이 4씩 커져요.

$4+4+4+4+4+4 = 4 \times 7$

$4 \times 8 = 4+4+4+4+4+4+4+4$

덧셈을 곱셈으로 바꾸어 나타내세요.

1 $3+3+3+3 = \boxed{3} \times \boxed{4}$

　　3을 4번 더하기

2 $6+6 = \boxed{} \times \boxed{}$

3 $5+5+5 = \boxed{} \times \boxed{}$

4 $8+8+8+8 = \boxed{} \times \boxed{}$

5 $9+9+9+9+9 = \boxed{} \times \boxed{}$

6 $4+4+4+4+4+4 = \boxed{} \times \boxed{}$

7 $3+3+3+3+3+3+3 = \boxed{} \times \boxed{}$

8 $7+7+7+7+7+7+7+7 = \boxed{} \times \boxed{}$

9 $1+1+1+1+1+1+1+1+1 = \boxed{} \times \boxed{}$

10 $2+2+2+2+2+2+2+2 = \boxed{} \times \boxed{}$

| 덧셈식과 곱셈식의 관계 |

1 $2 \times 4 + 2 = \boxed{2} \times \boxed{5}$

2를 4번 + 1번 ➡ 5번

$2 \times 3 + 2 + 2 = \boxed{2} \times \boxed{5}$

2를 3번 + 2번 ➡ 5번

$2 \times 2 + 2 \times 3 = \boxed{} \times \boxed{}$

2를 2번 + 2를 3번 ➡ 5번

 모두 곱하거나 더하면서 계산할 필요 없어!
어떤 수를 모두 몇 번 더하는지만 살펴보면 돼.

4 $3 \times 7 + 3 = \boxed{} \times \boxed{}$

$3 \times 6 + 3 + 3 = \boxed{} \times \boxed{}$

$3 \times 5 + 3 \times 3 = \boxed{} \times \boxed{}$

$3 \times 9 - 3 = \boxed{} \times \boxed{}$

2 $5 + 5 + 5 + 5 + 5 + 5 = \boxed{} \times \boxed{}$

$5 \times 3 + 5 + 5 + 5 = \boxed{} \times \boxed{}$

$5 \times 4 + 5 + 5 = \boxed{} \times \boxed{}$

$5 \times 5 + 5 = \boxed{} \times \boxed{}$

5 $4 \times 8 + \boxed{} = 4 \times 9$

$4 \times 7 + 4 + 4 = \boxed{} \times \boxed{}$

$4 \times 5 + 4 + 4 + 4 + 4 = \boxed{} \times \boxed{}$

$4 \times 6 + 4 + 4 + 4 = \boxed{} \times \boxed{}$

3 $7 + 7 + 7 + 7 = \boxed{} \times \boxed{}$

$7 \times 3 + 7 = \boxed{} \times \boxed{}$

$7 \times 1 + 7 + 7 + 7 = \boxed{} \times \boxed{}$

$7 \times 2 + 7 \times 2 = \boxed{} \times \boxed{}$

6 $9 \times 5 + 9 + 9 = \boxed{} \times \boxed{}$

$9 \times 4 + 9 + 9 + 9 = \boxed{} \times \boxed{}$

$9 \times 2 + 9 \times 5 = \boxed{} \times \boxed{}$

$9 \times \boxed{} + 9 = 9 \times 7$

곱셈구구① 2단, 3단, 4단, 5단

* 문번호에 관계없이 하나의 식을 한 문제로
생각하여 각각 채점해 주세요.

1
2×1 =
2×2 =
2×3 =
2×4 =
2×5 =
2×6 =
2×7 =
2×8 =
2×9 =

2×9 =
2×8 =
2×7 =
2×6 =
2×5 =
2×4 =
2×3 =
2×2 =
2×1 =

3
3×1 =
3×2 =
3×3 =
3×4 =
3×5 =
3×6 =
3×7 =
3×8 =
3×9 =

3×9 =
3×8 =
3×7 =
3×6 =
3×5 =
3×4 =
3×3 =
3×2 =
3×1 =

2
5×1 =
5×2 =
5×3 =
5×4 =
5×5 =
5×6 =
5×7 =
5×8 =
5×9 =

5×9 =
5×8 =
5×7 =
5×6 =
5×5 =
5×4 =
5×3 =
5×2 =
5×1 =

4
4×1 =
4×2 =
4×3 =
4×4 =
4×5 =
4×6 =
4×7 =
4×8 =
4×9 =

4×9 =
4×8 =
4×7 =
4×6 =
4×5 =
4×4 =
4×3 =
4×2 =
4×1 =

응용 UP 곱셈구구 ①

주어진 단에서 곱셈구구의 값을 작은 수부터 순서대로 찾아 미로를 통과하세요.
(단, 미로는 위, 아래, 왼쪽, 오른쪽 칸으로만 갈 수 있습니다.)

1 **2단**

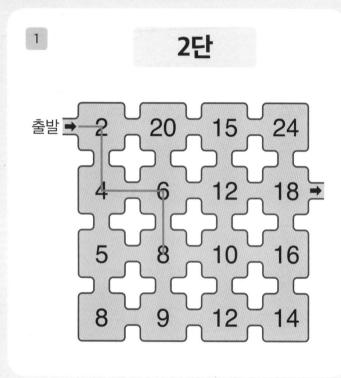

3 **3단**

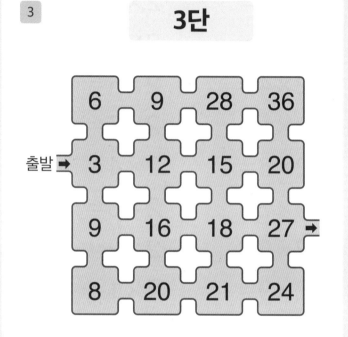

2 **5단**

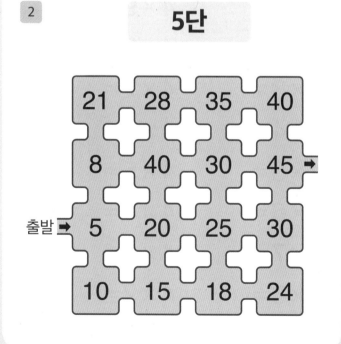

4 **4단**

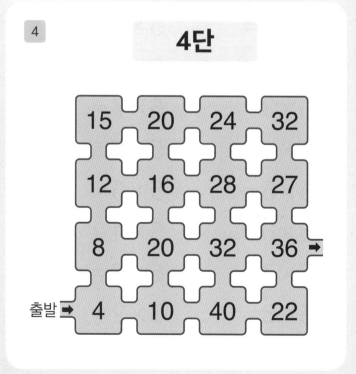

* 문번호에 관계없이 하나의 식을 한 문제로 생각하여 각각 채점해 주세요.

1 $2 \times 1 =$
$2 \times 8 =$
$2 \times 4 =$

5 $2 \times 5 =$
$2 \times 7 =$
$2 \times 2 =$

9 $2 \times 6 =$
$2 \times 3 =$
$2 \times 9 =$

2 $3 \times 9 =$
$3 \times 6 =$
$3 \times 2 =$

6 $3 \times 1 =$
$3 \times 3 =$
$3 \times 4 =$

10 $3 \times 7 =$
$3 \times 5 =$
$3 \times 8 =$

3 $4 \times 3 =$
$4 \times 8 =$
$4 \times 5 =$

7 $4 \times 9 =$
$4 \times 2 =$
$4 \times 7 =$

11 $4 \times 1 =$
$4 \times 4 =$
$4 \times 6 =$

4 $5 \times 6 =$
$5 \times 7 =$
$5 \times 4 =$

8 $5 \times 1 =$
$5 \times 5 =$
$5 \times 9 =$

12 $5 \times 2 =$
$5 \times 8 =$
$5 \times 3 =$

응용 UP 곱셈구구②

표를 보고 빈칸에 알맞은 수를 써넣으세요.

1

×	①	2	3	4
②	2			

2×1   2×2

5

×	1	4	9	3
3				

2

×	3	4	5	6
5				

6

×	8	7	6	2
2				

3

×	6	7	8	9
3				

7

×	2	4	8	9
4				

4

×	4	5	6	7
4				

8

×	1	5	7	9
5				

1. $2 \times 1 =$

2. $5 \times 9 =$

3. $3 \times 3 =$

4. $4 \times 7 =$

5. $3 \times 6 =$

6. $2 \times 9 =$

7. $4 \times 5 =$

8. $5 \times 2 =$

9. $3 \times 2 =$

10. $5 \times 6 =$

11. $3 \times 9 =$

12. $4 \times 8 =$

13. $2 \times 4 =$

14. $4 \times 3 =$

15. $5 \times 5 =$

16. $2 \times 7 =$

17. $4 \times 1 =$

18. $5 \times 8 =$

19. $3 \times 1 =$

20. $4 \times 2 =$

21. $2 \times 3 =$

22. $5 \times 4 =$

23. $2 \times 8 =$

24. $5 \times 7 =$

25. $4 \times 6 =$

26. $3 \times 7 =$

27. $2 \times 5 =$

1 버스 한 대에는 바퀴가 **4**개씩 있습니다.
버스 **3**대의 바퀴는 모두 몇 개일까요?

4개씩 3대

➡ 4 × 3 = _____

답 _____

2 세잎클로버 한 개에 잎이 **3**장씩 있습니다.
세잎클로버 **5**개의 잎은 모두 몇 장일까요?

답 _____

3 타조의 다리는 **2**개입니다.
타조 **4**마리의 다리는 모두 몇 개일까요?

답 _____

4 과자가 한 상자에 **5**개씩 들어 있습니다.
6상자에 들어 있는 과자는 모두 몇 개일까요?

답 _____

1   $4 \times 9 =$

2   $5 \times 1 =$

3   $2 \times 8 =$

4   $3 \times 6 =$

5   $5 \times 4 =$

6   $3 \times 7 =$

7   $2 \times 3 =$

8   $4 \times 6 =$

9   $2 \times 7 =$

10   $3 \times 8 =$

11   $4 \times 4 =$

12   $5 \times 2 =$

13   $2 \times 5 =$

14   $4 \times 1 =$

15   $2 \times 9 =$

16   $5 \times 7 =$

17   $3 \times 4 =$

18   $5 \times 5 =$

19   $5 \times 9 =$

20   $2 \times 2 =$

21   $4 \times 5 =$

22   $3 \times 2 =$

23   $2 \times 6 =$

24   $4 \times 8 =$

25   $3 \times 9 =$

26   $5 \times 3 =$

27   $4 \times 7 =$

1 책장 한 칸에 책이 **5권씩** 꽂혀 있습니다.
책장 **3칸**에 꽂혀 있는 책은 모두 몇 권일까요?

5권씩 3칸
➡ 5 × 3 = _____

답 _____

2 양말은 한 켤레에 **2짝씩**입니다.
양말 **7켤레**는 모두 몇 짝일까요?

답 _____

3 사과가 한 봉지에 **3개씩** 들어 있습니다.
4봉지에 들어 있는 사과는 모두 몇 개일까요?

답 _____

4 잠자리 한 마리의 날개는 **4개**입니다.
잠자리 **6마리**의 날개는 모두 몇 개일까요?

답 _____

5 세발자전거 한 대에는 바퀴가 **3개씩** 있습니다.
세발자전거 **9대**의 바퀴는 모두 몇 개일까요?

답 _____

빈칸 채우기로
구구단 외우기를 완성해 봐.

1. $2 \times \boxed{4} = 8$

2단을 외워 곱이 8이 되는
곱셈식을 찾습니다.

2. $5 \times \boxed{} = 25$

3. $3 \times \boxed{} = 12$

4. $4 \times \boxed{} = 36$

5. $5 \times \boxed{} = 10$

6. $3 \times \boxed{} = 24$

7. $2 \times \boxed{} = 18$

8. $4 \times \boxed{} = 4$

9. $5 \times \boxed{} = 30$

10. $\boxed{} \times 5 = 20$

11. $\boxed{} \times 2 = 6$

12. $\boxed{} \times 8 = 16$

13. $\boxed{} \times 9 = 45$

14. $\boxed{} \times 6 = 18$

15. $\boxed{} \times 1 = 5$

16. $\boxed{} \times 4 = 16$

17. $\boxed{} \times 7 = 14$

18. $\boxed{} \times 7 = 21$

19. $3 \times \boxed{} = 9$

20. $\boxed{} \times 6 = 12$

21. $5 \times \boxed{} = 35$

22. $4 \times \boxed{} = 8$

23. $2 \times \boxed{} = 10$

24. $\boxed{} \times 7 = 28$

25. $\boxed{} \times 8 = 40$

26. $3 \times \boxed{} = 15$

27. $\boxed{} \times 6 = 24$

1 어떤 수에 **6**을 곱하였더니 **18**이 되었습니다.
　□　　×6　　=18
어떤 수는 얼마일까요?

$\square \times 6 = 18$
➡ $3 \times 6 = 18$이므로 $\square = 3$

구하려는 '어떤 수'를 □로 놓고 곱셈식을 세워 봐!

답 _____

2 5에 어떤 수를 곱하였더니 **35**가 되었습니다.
어떤 수는 얼마일까요?

답 _____

3 강아지 한 마리의 다리는 **4**개입니다.
강아지의 다리가 모두 **36**개라면
강아지는 모두 몇 마리일까요?

모르는 수를 □로 놓고 곱셈식을 세우면 되지!

답 _____

4 꽃병에 장미를 **2**송이씩 꽂으려고 합니다.
장미 **16**송이를 꽂으려면
꽃병은 모두 몇 개 필요할까요?

답 _____

1. $4 \times \boxed{} = 12$

2. $5 \times \boxed{} = 25$

3. $2 \times \boxed{} = 12$

4. $3 \times \boxed{} = 21$

5. $4 \times \boxed{} = 36$

6. $2 \times \boxed{} = 6$

7. $5 \times \boxed{} = 20$

8. $3 \times \boxed{} = 15$

9. $2 \times \boxed{} = 14$

10. $\boxed{} \times 6 = 30$

11. $\boxed{} \times 3 = 9$

12. $\boxed{} \times 7 = 28$

13. $\boxed{} \times 4 = 8$

14. $\boxed{} \times 3 = 15$

15. $\boxed{} \times 5 = 10$

16. $\boxed{} \times 2 = 8$

17. $\boxed{} \times 8 = 24$

18. $\boxed{} \times 2 = 10$

19. $2 \times \boxed{} = 18$

20. $\boxed{} \times 9 = 45$

21. $\boxed{} \times 1 = 3$

22. $4 \times \boxed{} = 32$

23. $3 \times \boxed{} = 18$

24. $\boxed{} \times 2 = 4$

25. $\boxed{} \times 7 = 35$

26. $3 \times \boxed{} = 27$

27. $4 \times \boxed{} = 16$

알맞은 곱셈식이 될 수 있도록 □ 안에 친구들이 가지고 있는 수 카드의 수를 한 번씩 써넣으세요.

1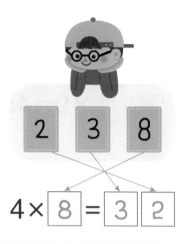

2 3 8

$4 \times 8 = 3\ 2$

4

1 2 6

$2 \times \square = \square\ \square$

2

4 5 9

$5 \times \square = \square\ \square$

5

1 6 8

$3 \times \square = \square\ \square$

3

0 1 5

$2 \times \square = \square\ \square$

6

1 4 6

$4 \times \square = \square\ \square$

1 덧셈을 곱셈으로 바꾸어 나타내세요.

(1) $2+2+2+2+2=2\times\boxed{}$

(2) $4+4+4+4+4+4+4=4\times\boxed{}$

(3) $3+3+3+3+3+3+3+3=3\times\boxed{}$

2 계산을 하세요.

(1) $3\times4=$

(2) $2\times8=$

(3) $4\times6=$

(4) $5\times3=$

(5) $4\times2=$

(6) $3\times8=$

(7) $4\times9=$

(8) $5\times5=$

(9) $2\times7=$

3 □ 안에 알맞은 수를 써넣으세요.

(1) $2\times\boxed{}=18$

(2) $\boxed{}\times6=30$

(3) $4\times\boxed{}=32$

(4) $4\times\boxed{}=28$

(5) $\boxed{}\times8=24$

(6) $\boxed{}\times6=12$

(7) $3\times\boxed{}=18$

(8) $\boxed{}\times3=12$

(9) $5\times\boxed{}=10$

4 표를 보고 빈칸에 알맞은 수를 써넣으세요.

(1)

×	9	6	5	4
5				

(2)

×	5	6	7	8
3				

5 연필이 한 상자에 2자루씩 들어 있습니다. 8상자에 들어 있는 연필은 모두 몇 자루일까요?

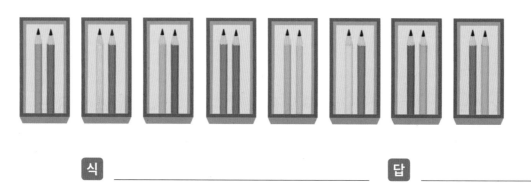

식 _____   답 _____

6 한 팀에 농구 선수가 5명씩 있습니다. 7팀이 모여서 농구 경기를 한다면 농구 선수는 모두 몇 명일까요?

(   )

7 4에 어떤 수를 곱하였더니 28이 되었습니다. 어떤 수는 얼마일까요?

(   )

03

곱셈구구(2)

· 학습기록표 ·

학습 일차	학습 내용	날짜	맞은 개수	
			연산	응용
DAY 19	곱셈구구① 6단, 7단, 8단, 9단	/	/72	/4
DAY 20	곱셈구구② 6단, 7단, 8단, 9단	/	/36	/5
DAY 21	곱셈구구③ 6단, 7단, 8단, 9단	/	/27	/4
DAY 22	곱셈구구④ 6단, 7단, 8단, 9단	/	/27	/5
DAY 23	곱셈구구⑤ 1단 곱셈구구와 0의 곱	/	/27	/6
DAY 24	곱셈구구 종합① 0의 곱, 1단~9단	/	/16	/4
DAY 25	곱셈구구 종합② 0의 곱, 1단~9단	/	/27	/4
DAY 26	곱셈구구 종합③ □의 값 구하기	/	/27	/4
DAY 27	곱셈구구 종합④ □의 값 구하기	/	/27	/4
DAY 28	곱셈표	/	/6	/8
DAY 29	마무리 확인	/		/24

책상에 붙여 놓고
매일매일 기록해요.

곱셈구구

참고 / 곱셈구구의 원리 잊지 않았지? \ 같은 수를 여러 번 더하는 거야!

6단

6 × 1 = 6   +6
6 × 2 = 12   +6
6 × 3 = 18   +6
6 × 4 = 24   +6
6 × 5 = 30   +6
6 × 6 = 36   +6
6 × 7 = 42   +6
6 × 8 = 48   +6
6 × 9 = 54

7단

7 × 1 = 7   +7
7 × 2 = 14   +7
7 × 3 = 21   +7
7 × 4 = 28   +7
7 × 5 = 35   +7
7 × 6 = 42   +7
7 × 7 = 49   +7
7 × 8 = 56   +7
7 × 9 = 63

8단

8 × 1 = 8   +8
8 × 2 = 16   +8
8 × 3 = 24   +8
8 × 4 = 32   +8
8 × 5 = 40   +8
8 × 6 = 48   +8
8 × 7 = 56   +8
8 × 8 = 64   +8
8 × 9 = 72

9단

9 × 1 = 9   +9
9 × 2 = 18   +9
9 × 3 = 27   +9
9 × 4 = 36   +9
9 × 5 = 45   +9
9 × 6 = 54   +9
9 × 7 = 63   +9
9 × 8 = 72   +9
9 × 9 = 81

1단 곱셈구구

1 × 1 = 1
1 × 2 = 2
1 × 3 = 3
1 × 4 = 4
1 × 5 = 5
1 × 6 = 6
1 × 7 = 7
1 × 8 = 8
1 × 9 = 9

$1 \times \blacksquare = \blacksquare$

1은 곱하나 마나!

0의 곱

0 × 1 = 0   1 × 0 = 0
0 × 2 = 0   2 × 0 = 0
0 × 3 = 0   3 × 0 = 0
0 × 4 = 0   4 × 0 = 0
0 × 5 = 0   5 × 0 = 0
0 × 6 = 0   6 × 0 = 0
0 × 7 = 0   7 × 0 = 0
0 × 8 = 0   8 × 0 = 0
0 × 9 = 0   9 × 0 = 0

0을 곱하면 항상 \ 0이 되는 거야!

×	0	1	2	3	4	5	6	7	8	9
0	0	0	0	0	0	0	0	0	0	0
1	0	1	2	3	4	5	6	7	8	9
2	0	2	4	6	8	10	12	14	16	18
3	0	3	6	9	12	15	18	21	24	27
4	0	4	8	12	16	20	24	28	32	36
5	0	5	10	15	20	25	30	35	40	45
6	0	6	12	18	24	30	36	42	48	54
7	0	7	14	21	28	35	42	49	56	63
8	0	8	16	24	32	40	48	56	64	72
9	0	9	18	27	36	45	54	63	72	81

가로줄: 곱하는 수

5씩 커집니다.

세로줄: 곱해지는 수

7씩 커집니다.

세로줄의 수와 가로줄의 수를 곱해서
만나는 곳에 곱을 쓴 게 곱셈표야.
세로줄의 9, 가로줄의 2 ➡ $9 \times 2 = 18$

규칙

- 5단 곱셈구구에서는 곱이 5씩 커지고
  7단 곱셈구구에서는 곱이 7씩 커집니다.
- 곱하는 두 수의 순서를 서로 바꾸어도 곱은 같습니다.

$$9 \times 2 = 18 \longleftrightarrow 2 \times 9 = 18$$

* 문번호에 관계없이 하나의 식을 한 문제로
  생각하여 각각 채점해 주세요.

1

$6 \times 1 =$	$6 \times 9 =$
$6 \times 2 =$	$6 \times 8 =$
$6 \times 3 =$	$6 \times 7 =$
$6 \times 4 =$	$6 \times 6 =$
$6 \times 5 =$	$6 \times 5 =$
$6 \times 6 =$	$6 \times 4 =$
$6 \times 7 =$	$6 \times 3 =$
$6 \times 8 =$	$6 \times 2 =$
$6 \times 9 =$	$6 \times 1 =$

3

$8 \times 1 =$	$8 \times 9 =$
$8 \times 2 =$	$8 \times 8 =$
$8 \times 3 =$	$8 \times 7 =$
$8 \times 4 =$	$8 \times 6 =$
$8 \times 5 =$	$8 \times 5 =$
$8 \times 6 =$	$8 \times 4 =$
$8 \times 7 =$	$8 \times 3 =$
$8 \times 8 =$	$8 \times 2 =$
$8 \times 9 =$	$8 \times 1 =$

2

$7 \times 1 =$	$7 \times 9 =$
$7 \times 2 =$	$7 \times 8 =$
$7 \times 3 =$	$7 \times 7 =$
$7 \times 4 =$	$7 \times 6 =$
$7 \times 5 =$	$7 \times 5 =$
$7 \times 6 =$	$7 \times 4 =$
$7 \times 7 =$	$7 \times 3 =$
$7 \times 8 =$	$7 \times 2 =$
$7 \times 9 =$	$7 \times 1 =$

4

$9 \times 1 =$	$9 \times 9 =$
$9 \times 2 =$	$9 \times 8 =$
$9 \times 3 =$	$9 \times 7 =$
$9 \times 4 =$	$9 \times 6 =$
$9 \times 5 =$	$9 \times 5 =$
$9 \times 6 =$	$9 \times 4 =$
$9 \times 7 =$	$9 \times 3 =$
$9 \times 8 =$	$9 \times 2 =$
$9 \times 9 =$	$9 \times 1 =$

응용 UP 곱셈구구①

주어진 단에서 곱셈구구의 값을 작은 수부터 순서대로 찾아 미로를 통과하세요.
(단, 미로는 위, 아래, 왼쪽, 오른쪽 칸으로만 갈 수 있습니다.)

1 **6단**

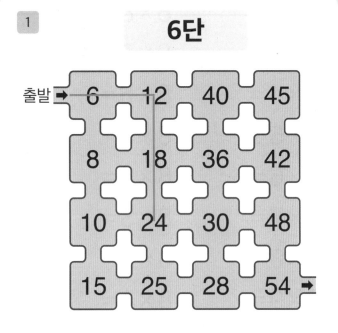

2 **7단**

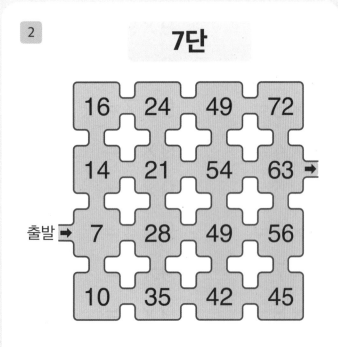

3 **8단**

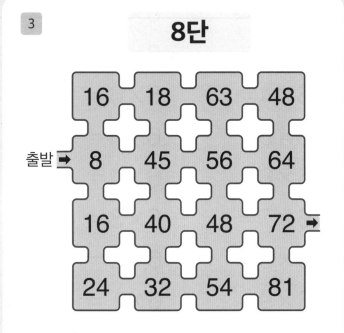

4 **9단**

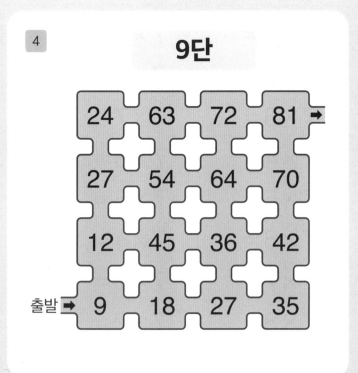

*문번호에 관계없이 하나의 식을 한 문제로 생각하여 각각 채점해 주세요.

1 6×3=
   6×4=
   6×7=

5 6×2=
   6×9=
   6×5=

9 6×6=
   6×1=
   6×8=

2 7×4=
   7×5=
   7×9=

6 7×1=
   7×3=
   7×8=

10 7×7=
    7×2=
    7×6=

3 8×1=
   8×8=
   8×3=

7 8×6=
   8×2=
   8×5=

11 8×4=
    8×9=
    8×7=

4 9×6=
   9×2=
   9×5=

8 9×9=
   9×4=
   9×8=

12 9×3=
    9×7=
    9×1=

1 배구는 한 팀에 선수가 6명씩 있습니다.
배구팀이 8팀이면 선수는 모두 몇 명일까요?

6명씩 8팀
➡ 6×8 = _____

답 _____

2 연필이 한 상자에 9자루씩 들어 있습니다.
7상자에 들어 있는 연필은 모두 몇 자루일까요?

답 _____

3 한 사람에게 과자를 7개씩 나누어 주었습니다.
5명에게 나누어 준 과자는 모두 몇 개일까요?

답 _____

4 상자에 공을 6개씩 담았습니다.
3상자에 담은 공은 모두 몇 개일까요?

답 _____

5 민재는 동화책을 하루에 8쪽씩 읽었습니다.
민재가 4일 동안 읽은 동화책은 모두 몇 쪽일까요?

답 _____

1 $6 \times 1 =$

2 $7 \times 2 =$

3 $8 \times 4 =$

4 $9 \times 8 =$

5 $7 \times 9 =$

6 $6 \times 3 =$

7 $9 \times 2 =$

8 $8 \times 7 =$

9 $6 \times 5 =$

10 $9 \times 5 =$

11 $8 \times 6 =$

12 $7 \times 8 =$

13 $6 \times 7 =$

14 $8 \times 3 =$

15 $7 \times 4 =$

16 $6 \times 2 =$

17 $9 \times 1 =$

18 $7 \times 7 =$

19 $8 \times 2 =$

20 $6 \times 6 =$

21 $9 \times 7 =$

22 $8 \times 1 =$

23 $9 \times 4 =$

24 $6 \times 9 =$

25 $8 \times 8 =$

26 $7 \times 5 =$

27 $9 \times 3 =$

친구들이 쪽지 시험을 보았습니다. 잘못 쓴 답에 ×표 하고, 바르게 고치세요.

1

쪽지 시험   이름: 이○○

(1) 6×2 = __12__

(2) 8×5 = __40__

(3) 7×6 = __42__

(4) 9×6 = ~~45~~ ✗ 54

(5) 8×8 = __64__

3

쪽지 시험   이름: 김○○

(1) 8×6 = __48__

(2) 7×4 = __28__

(3) 6×9 = __56__

(4) 9×7 = __64__

(5) 7×3 = __24__

2

쪽지 시험   이름: 박○○

(1) 7×7 = __48__

(2) 9×3 = __27__

(3) 6×5 = __36__

(4) 8×4 = __24__

(5) 6×7 = __42__

4

쪽지 시험   이름: 최○○

(1) 7×5 = __56__

(2) 9×9 = __72__

(3) 8×3 = __24__

(4) 6×6 = __30__

(5) 9×5 = __45__

1 $7 \times 6 =$

2 $6 \times 9 =$

3 $9 \times 4 =$

4 $8 \times 6 =$

5 $7 \times 1 =$

6 $8 \times 5 =$

7 $6 \times 3 =$

8 $9 \times 7 =$

9 $7 \times 2 =$

10 $6 \times 4 =$

11 $8 \times 8 =$

12 $7 \times 3 =$

13 $9 \times 2 =$

14 $6 \times 8 =$

15 $7 \times 7 =$

16 $9 \times 6 =$

17 $8 \times 9 =$

18 $9 \times 5 =$

19 $9 \times 9 =$

20 $7 \times 8 =$

21 $8 \times 7 =$

22 $6 \times 2 =$

23 $9 \times 3 =$

24 $6 \times 5 =$

25 $8 \times 1 =$

26 $7 \times 4 =$

27 $6 \times 6 =$

1 문어의 다리는 **8**개입니다.
문어 **9**마리의 다리는 모두 몇 개일까요?

답 _____

2 어항 한 개에 물고기를 **7**마리씩 넣었습니다.
어항 **8**개에 넣은 물고기는 모두 몇 마리일까요?

답 _____

3 상자 한 개의 길이는 **8** cm입니다.
상자 **5**개의 길이는 몇 cm일까요?

 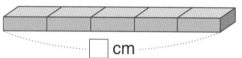

8 cm   ☐ cm

답 _____

4 사물함이 한 층에 **6**개씩 **6**층으로 놓여 있습니다.
사물함은 모두 몇 개일까요?

답 _____

5 달걀이 한 바구니에 **9**개씩 들어 있습니다.
다섯 바구니에 들어 있는 달걀은 모두 몇 개일까요?

답 _____

1 $1 \times 5 =$

2 $1 \times 1 =$

3 $0 \times 8 =$

4 $1 \times 4 =$

5 $1 \times 9 =$

6 $1 \times 0 =$

7 $1 \times 3 =$

8 $0 \times 2 =$

9 $0 \times 9 =$

10 $0 \times 6 =$

11 $5 \times 0 =$

12 $0 \times 7 =$

13 $1 \times 8 =$

14 $3 \times 0 =$

15 $2 \times 0 =$

16 $6 \times 0 =$

17 $1 \times 7 =$

18 $4 \times 0 =$

19 $9 \times 0 =$

20 $0 \times 1 =$

21 $0 \times 5 =$

22 $0 \times 4 =$

23 $8 \times 0 =$

24 $0 \times 3 =$

25 $1 \times 2 =$

26 $1 \times 6 =$

27 $7 \times 0 =$

공 10개를 꺼내어 공에 적힌 수만큼 점수를 얻는 놀이를 하였습니다. 얻은 점수는 몇 점일까요?

1

공에 적힌 수	1	3
꺼낸 횟수(번)	6	4

❶ 6번: 1 × 6 = 6(점)

❸ 4번: 3 × 4 = 12(점)

➡ (얻은 점수) = 6 + 12 = _____ (점)

점수 _____

2

공에 적힌 수	0	2
꺼낸 횟수(번)	7	3

점수 _____

3

공에 적힌 수	0	1	2
꺼낸 횟수(번)	1	5	4

점수 _____

4

공에 적힌 수	1	3	5
꺼낸 횟수(번)	2	3	5

점수 _____

5

공에 적힌 수	0	2	4
꺼낸 횟수(번)	6	1	3

점수 _____

6

공에 적힌 수	0	1	2	3
꺼낸 횟수(번)	4	3	1	2

점수 _____

1   $2 \times 4 =$

     $4 \times 2 =$

2   $8 \times 7 =$

     $7 \times 8 =$

3   $6 \times 1 =$

     $1 \times 6 =$

4   $4 \times 5 =$

     $5 \times 4 =$

5   $3 \times 9 =$

     $9 \times 3 =$

6   $7 \times 6 =$

     $6 \times 7 =$

7   $4 \times 8 =$

     $8 \times 4 =$

8   $5 \times 2 =$

     $2 \times 5 =$

9   $9 \times 5 =$

     $5 \times 9 =$

10   $6 \times 3 =$

     $3 \times 6 =$

11   $0 \times 8 =$

     $8 \times 0 =$

12   $6 \times 9 =$

     $9 \times 6 =$

13   $3 \times 5 =$

     $5 \times 3 =$

14   $8 \times 2 =$

     $2 \times 8 =$

15   $9 \times 7 =$

     $7 \times 9 =$

16   $7 \times 4 =$

     $4 \times 7 =$

바로 개념

곱셈은 곱하는 두 수를 바꾸어 곱해도 계산 결과가 (같아 , 달라).

● × ◆ = ◆ × ●

그릇에 있는 과자가 모두 몇 개인지 여러 가지 곱셈식으로 나타내세요.

1

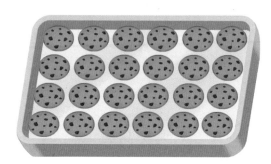

3 × ☐ = ☐

4 × ☐ = ☐

6 × ☐ = ☐

8 × ☐ = ☐

3

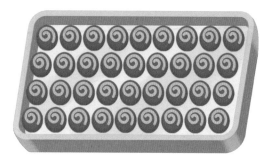

☐ × ☐ = ☐

☐ × ☐ = ☐

☐ × ☐ = ☐

2

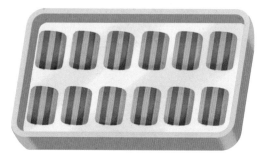

☐ × ☐ = ☐

☐ × ☐ = ☐

☐ × ☐ = ☐

☐ × ☐ = ☐

4

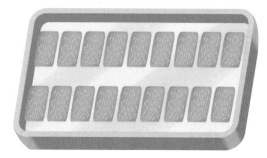

☐ × ☐ = ☐

☐ × ☐ = ☐

☐ × ☐ = ☐

☐ × ☐ = ☐

1 9×2=

2 5×1=

3 4×7=

4 1×9=

5 7×5=

6 8×8=

7 0×4=

8 6×6=

9 2×8=

10 4×4=

11 3×5=

12 6×9=

13 5×4=

14 2×3=

15 7×0=

16 1×8=

17 8×6=

18 9×5=

19 6×2=

20 9×9=

21 2×5=

22 7×9=

23 4×8=

24 5×3=

25 3×7=

26 0×6=

27 8×4=

| 곱셈과 덧셈, 곱셈과 뺄셈이 섞여 있는 문장제 |

---

1 태성이는 문제집을 사서
하루에 8쪽씩 7일 동안 풀었더니 4쪽이 남았습니다.
문제집은 모두 몇 쪽일까요?

❶ 8쪽씩 7일 ➡ 8 × 7 = _____

❷ 56 + 4 = _____ (쪽)

답 _____

---

2 상희의 나이는 9살입니다.
삼촌의 나이는 상희 나이의 5배보다 3살 더 적습니다.
삼촌의 나이는 몇 살일까요?

답 _____

---

3 그림과 같이 이쑤시개로 삼각형 3개와 사각형 4개를 만
들려고 합니다. 이쑤시개는 모두 몇 개 필요할까요?

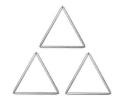

답 _____

---

4 예서는 한 봉지에 5개씩 들어 있는 사과 3봉지와
한 봉지에 6개씩 들어 있는 감 2봉지를 샀습니다.
사과를 감보다 몇 개 더 많이 샀을까요?

답 _____

1 $8 \times \boxed{5} = 40$

8단 곱셈구구를 외워
곱이 40이 되는 곱셈식을 찾습니다.

2 $5 \times \boxed{} = 35$

3 $9 \times \boxed{} = 9$

4 $7 \times \boxed{} = 63$

5 $1 \times \boxed{} = 4$

6 $6 \times \boxed{} = 12$

7 $4 \times \boxed{} = 32$

8 $2 \times \boxed{} = 10$

9 $3 \times \boxed{} = 0$

10 $\boxed{} \times 2 = 14$

2단 곱셈구구를 외워
곱이 14가 되는 곱셈식을 찾습니다.

11 $\boxed{} \times 6 = 18$

12 $\boxed{} \times 3 = 12$

13 $\boxed{} \times 4 = 36$

14 $\boxed{} \times 5 = 0$

15 $\boxed{} \times 8 = 48$

16 $\boxed{} \times 7 = 7$

17 $\boxed{} \times 9 = 45$

18 $\boxed{} \times 7 = 56$

19 $5 \times \boxed{} = 30$

20 $\boxed{} \times 1 = 2$

21 $\boxed{} \times 7 = 0$

22 $4 \times \boxed{} = 20$

23 $8 \times \boxed{} = 16$

24 $\boxed{} \times 3 = 9$

25 $7 \times \boxed{} = 49$

26 $\boxed{} \times 9 = 81$

27 $\boxed{} \times 4 = 24$

나는 어떤 수일까요? 설명을 보고 조건에 맞는 수를 구하세요.

1
- 나는 4단 곱셈구구에 나오는 값입니다.
- 나는 30보다 큽니다.
- 나는 8단 곱셈구구에도 나옵니다.

답 _____

2
- 나는 6단 곱셈구구에 나오는 값입니다.
- 나는 숫자 중 하나가 8입니다.
- 나는 9단 곱셈구구에도 나오는 값입니다.

답 _____

3
- 나는 7×4의 값보다 작습니다.
- 나는 똑같은 두 수를 곱했을 때의 값입니다.
- 나는 20보다 큽니다.

답 _____

4
- 나는 9×6의 값보다 큽니다.
- 나는 7단 곱셈구구에 나오는 값입니다.
- 나의 십의 자리 숫자와 일의 자리 숫자를 곱하면 30이 됩니다.

답 _____

1 $7 \times \boxed{} = 21$

2 $3 \times \boxed{} = 15$

3 $8 \times \boxed{} = 8$

4 $2 \times \boxed{} = 16$

5 $9 \times \boxed{} = 63$

6 $5 \times \boxed{} = 20$

7 $6 \times \boxed{} = 18$

8 $4 \times \boxed{} = 36$

9 $1 \times \boxed{} = 6$

10 $\boxed{} \times 5 = 5$

11 $\boxed{} \times 8 = 64$

12 $\boxed{} \times 6 = 54$

13 $\boxed{} \times 2 = 8$

14 $\boxed{} \times 1 = 0$

15 $\boxed{} \times 7 = 14$

16 $\boxed{} \times 4 = 0$

17 $\boxed{} \times 3 = 24$

18 $\boxed{} \times 9 = 27$

19 $\boxed{} \times 8 = 32$

20 $1 \times \boxed{} = 3$

21 $9 \times \boxed{} = 45$

22 $\boxed{} \times 9 = 72$

23 $7 \times \boxed{} = 56$

24 $\boxed{} \times 8 = 40$

25 $\boxed{} \times 5 = 30$

26 $\boxed{} \times 6 = 42$

27 $2 \times \boxed{} = 4$

1 8에 어떤 수를 곱했더니 48이 되었습니다.
　8　×□　　=48
어떤 수는 얼마일까요?
　□

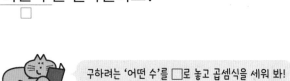
구하려는 '어떤 수'를 □로 놓고 곱셈식을 세워 봐!

$8 \times \square = 48$

➡ $8 \times 6 = 48$이므로 □=6입니다.

답 _____

2 어떤 수에 3을 곱했더니 27이 되었습니다.
어떤 수는 얼마일까요?

답 _____

3 5에 어떤 수를 곱했더니 40이 되었습니다.
어떤 수는 얼마일까요?

답 _____

4 어떤 수에 7을 곱해야 할 것을 ❷
잘못하여 6을 곱했더니 36이 되었습니다. ❶
바르게 계산한 값은 얼마일까요?

참고
먼저 잘못 계산한 식을 세워서
어떤 수부터 구해!

❶ 잘못 계산한 식에서 어떤 수를 구하면

❷ 바르게 계산한 식을 계산하면

답 _____

빈칸에 알맞은 수를 써넣어 곱셈표를 완성하세요.

1

×	1	2	3	4
1		2		
2			6	8
3	3	6		
4	4			16

4

×	6	7	8	9
4	24			36
5		35		
6			48	
7	42			63

2

×	3	4	5	6
5	15		25	
6		24		36
7	21			42
8			40	

5

×	2	3	4	5
3				
4		12	16	
5		15	20	
6				

3

×	0	4	6	8
3			18	
5			30	
7	0	28	42	56
9			54	

6

×	5	6	7	8
1			7	
3	15			
8				64
9		54		

| 슈타이너 곱셈법 |

2단~9단 곱셈구구 값의 일의 자리 숫자를 차례로 선으로 연결하세요.
(단, 0에서 시작해서 계속 연결하세요.)

1 **2단**

2단은 곱의 일의 자리 숫자가
0 → 2 → 4 → 6 → 8 → 0
으로 돌아오지!

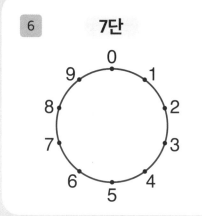

6 **7단**

2 **3단**

0 → 3 → 6 → 9 → ?
그 다음 수를 찾아 계속 이어서 연결해요.

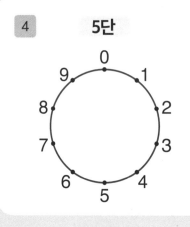

4 **5단**

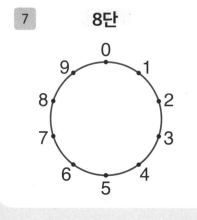

7 **8단**

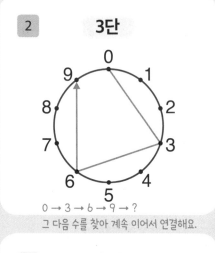

3 **4단**

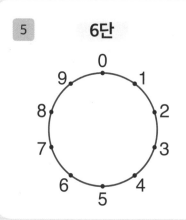

5 **6단**

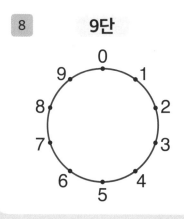

8 **9단**

1 계산을 하세요.

(1) $9 \times 5 =$

(2) $5 \times 3 =$

(3) $2 \times 6 =$

(4) $1 \times 8 =$

(5) $6 \times 9 =$

(6) $7 \times 9 =$

(7) $4 \times 2 =$

(8) $8 \times 0 =$

(9) $3 \times 7 =$

2 □ 안에 알맞은 수를 써넣으세요.

(1) $2 \times \boxed{} = 14$

(2) $\boxed{} \times 6 = 18$

(3) $7 \times \boxed{} = 56$

(4) $6 \times \boxed{} = 24$

(5) $\boxed{} \times 3 = 24$

(6) $\boxed{} \times 6 = 0$

(7) $8 \times \boxed{} = 72$

(8) $\boxed{} \times 5 = 5$

(9) $4 \times \boxed{} = 16$

3 빈칸에 알맞은 수를 써넣어 곱셈표를 완성하세요.

(1)

×	7	8	9
3			
4			
5			

(2)

×	2	3	4
7			
8			
9			

4 거미의 다리는 8개입니다. 거미 5마리의 다리는 모두 몇 개일까요?

식 _____   답 _____

5 어떤 수에 9를 곱했더니 81이 되었습니다. 어떤 수는 얼마일까요?

(   )

6 영준이가 공 10개를 꺼내어 공에 적힌 수만큼 점수를 얻는 놀이를 하였습니다. 영준이가 얻은 점수는 몇 점일까요?

공에 적힌 수	0	1	2
꺼낸 횟수(번)	1	3	6

(   )

7 다음 조건을 모두 만족하는 수를 구하세요.

> • 4단 곱셈구구에 나오는 값입니다.
> • 3×7의 값보다 작습니다.
> • 6단 곱셈구구에도 나오는 값입니다.

(   )

04

길이 재기

· 학습기록표 ·

학습 일차	학습 내용	날짜	맞은 개수	
			연산	응용
DAY 30	**길이 단위** m와 cm 단위 사이의 관계	/	/18	/4
DAY 31	**길이의 합 ①** 받아올림이 없는 길이의 합	/	/10	/6
DAY 32	**길이의 합 ②** 받아올림이 있는 길이의 합	/	/10	/3
DAY 33	**길이의 합 ③** 길이의 합 종합	/	/10	/4
DAY 34	**길이의 차 ①** 받아내림이 없는 길이의 차	/	/10	/6
DAY 35	**길이의 차 ②** 받아내림이 있는 길이의 차	/	/10	/4
DAY 36	**길이의 차 ③** 길이의 차 종합	/	/10	/4
DAY 37	**길이의 합과 차 종합 ①**	/	/10	/4
DAY 38	**길이의 합과 차 종합 ②**	/	/10	/4
DAY 39	**길이의 합과 차 종합 ③**	/	/10	/4
DAY 40	**마무리 확인**	/		/18

책상에 붙여 놓고
매일매일 기록해요.

개념 up

cm보다 더 큰 단위 ➡ m

100 cm = 1 m 읽기 1 미터 쓰기 1 m (①②③)

130 cm = 1 m 30 cm 읽기 1 미터 30 센티미터

길이의 합

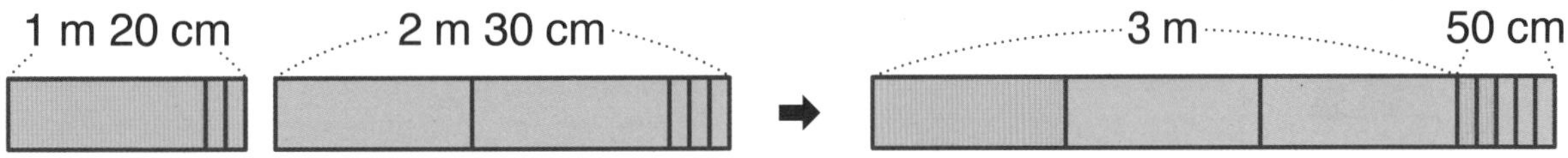

m끼리 더하기

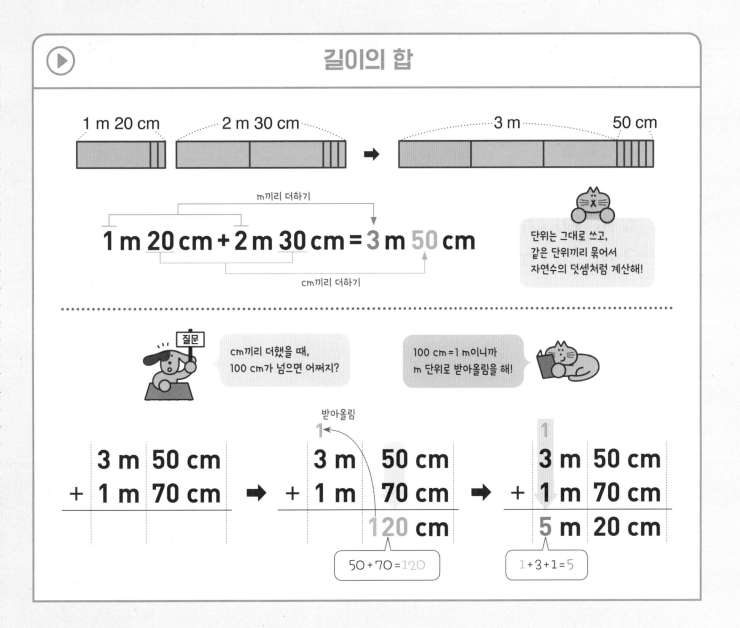

1 m 20 cm + 2 m 30 cm = 3 m 50 cm

cm끼리 더하기

단위는 그대로 쓰고,
같은 단위끼리 묶어서
자연수의 덧셈처럼 계산해!

cm끼리 더했을 때,
100 cm가 넘으면 어쩌지?

100 cm = 1 m이니까
m 단위로 받아올림을 해!

	3 m	50 cm
+	1 m	70 cm

➡

받아올림 1

	3 m	50 cm
+	1 m	70 cm
		120 cm

50 + 70 = 120

➡

	1	
	3 m	50 cm
+	1 m	70 cm
	5 m	20 cm

1 + 3 + 1 = 5

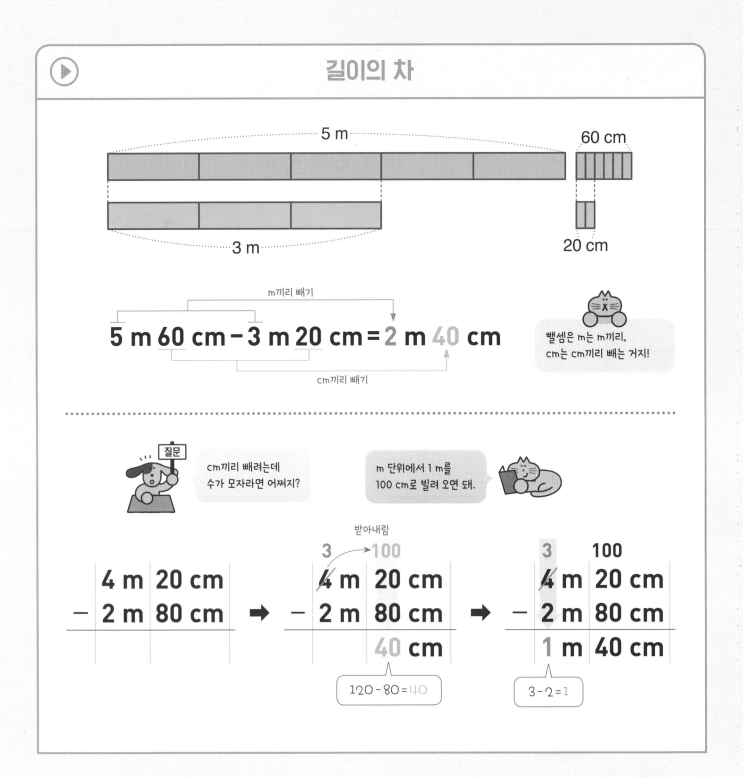

5 m 60 cm − 3 m 20 cm = 2 m 40 cm

m끼리 빼기

cm끼리 빼기

빨셈은 m는 m끼리, cm는 cm끼리 빼는 거지!

질문

cm끼리 빼려는데 수가 모자라면 어쩌지?

m 단위에서 1 m를 100 cm로 빌려 오면 돼.

받아내림

	4 m	20 cm
−	2 m	80 cm

➡

	3	100
	4 m	20 cm
−	2 m	80 cm
		40 cm

120 − 80 = 40

➡

	3	100
	4 m	20 cm
−	2 m	80 cm
	1 m	40 cm

3 − 2 = 1

1 200 cm = ☐ m

2 300 cm = ☐ m

3 900 cm = ☐ m

4 1000 cm = ☐ m

5 470 cm = ☐ m ☐ cm

6 554 cm = ☐ m ☐ cm

7 706 cm = ☐ m ☐ cm

8 2145 cm = ☐ m ☐ cm

9 3008 cm = ☐ m ☐ cm

10 4 m = ☐ cm

11 7 m = ☐ cm

12 8 m = ☐ cm

13 50 m = ☐ cm

14 2 m 40 cm = ☐ cm

15 8 m 15 cm = ☐ cm

16 9 m 3 cm = ☐ cm

17 15 m 10 cm = ☐ cm

18 49 m 7 cm = ☐ cm

| 단위가 다른 길이의 비교 |

1 트럭의 길이는 624 cm이고,
버스의 길이는 6 m 30 cm입니다.
트럭과 버스 중 어느 것이 더 짧을까요?

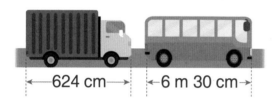

←624 cm→ ←6 m 30 cm→

비교하려는 두 길이(높이)의 단위가 다를 때에는
두 단위를 같게 바꾼 다음 비교해야 해.

624 cm = 6 m 24 cm입니다.
6 m 24 cm < 6 m 30 cm이므로
(트럭 , 버스)이 더 짧습니다.

답 _____

3 공장의 높이는 9800 cm이고,
산의 높이는 919 m입니다.
공장과 산 중 어느 것이 더 높을까요?

9800 cm

919 m

답 _____

2 악어의 몸길이는 3 m이고,
뱀의 몸길이는 340 cm입니다.
악어와 뱀 중 어느 것이 더 길까요?

내 몸길이는
3 m야!

난 쭉~ 펴면 길이가
340 cm나 되지!

답 _____

4 삼촌의 키는 1 m 78 cm이고,
이모의 키는 170 cm입니다.
삼촌과 이모 중 누가 더 작을까요?

삼촌
1 m 78 cm

이모
170 cm

답 _____

1

	2 m	20 cm
+	1 m	50 cm
	3 m	70 cm

m는 m끼리,
cm는 cm끼리 더해.

6

	4 m	51 cm
+	3 m	7 cm

길이 단위도 써 보자!
①②③ ②③④
m cm

2

	8 m	10 cm
+	2 m	80 cm
	m	cm

7

	7 m	15 cm
+	1 m	28 cm

3

	3 m	40 cm
+	5 m	20 cm
	m	cm

8

	2 m	8 cm
+	5 m	69 cm

4

	9 m	30 cm
+	7 m	20 cm
	m	cm

9

	3 m	48 cm
+	8 m	36 cm

5

	5 m	30 cm
+	4 m	65 cm
	m	cm

10

	5 m	33 cm
+	10 m	27 cm

두 색 테이프를 이어 붙였습니다. 색 테이프의 전체 길이를 구하세요.

1

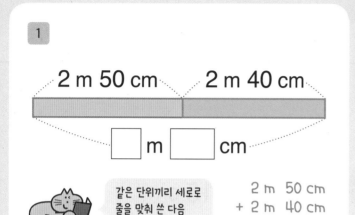

2 m 50 cm   2 m 40 cm

☐ m ☐ cm

같은 단위끼리 세로로 줄을 맞춰 쓴 다음 계산하면 편해.

```
  2 m  50 cm
+ 2 m  40 cm
-----------
  4 m  90 cm
```

4

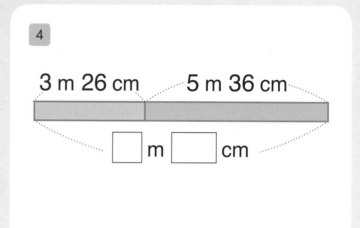

3 m 26 cm   5 m 36 cm

☐ m ☐ cm

2

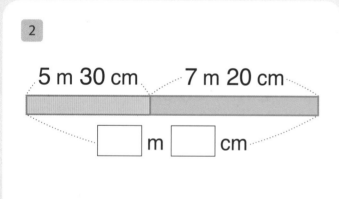

5 m 30 cm   7 m 20 cm

☐ m ☐ cm

5

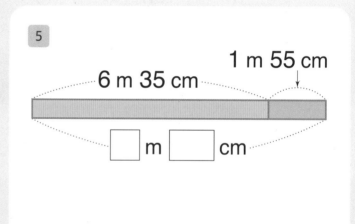

6 m 35 cm   1 m 55 cm

☐ m ☐ cm

3

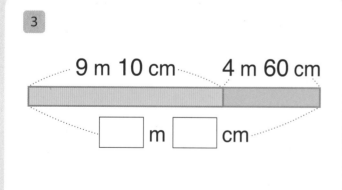

9 m 10 cm   4 m 60 cm

☐ m ☐ cm

6

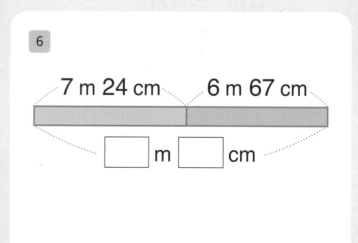

7 m 24 cm   6 m 67 cm

☐ m ☐ cm

cm끼리의 합이 100cm가 넘으면
m 단위로 받아올림을 해!

1

	1	
	3 m	60 cm
+	5 m	70 cm
	9 m	130 cm

100 cm를 1 m로!

6

	2 m	57 cm
+	4 m	61 cm

길이 단위도 써야 해.

2

	1 m	90 cm
+	2 m	50 cm
	m	cm

7

	6 m	34 cm
+	6 m	77 cm

3

	4 m	30 cm
+	2 m	80 cm
	m	cm

8

	7 m	95 cm
+	2 m	25 cm

4

	10 m	70 cm
+	3 m	50 cm
	m	cm

9

	5 m	83 cm
+	2 m	46 cm

5

	1 m	65 cm
+	9 m	40 cm
	m	cm

10

	11 m	78 cm
+	4 m	56 cm

1 지희가 운동장에서 굴렁쇠 굴리기 연습을 한 거리입니다. 굴렁쇠가 굴러간 거리는 몇 m 몇 cm일까요?

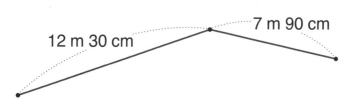

식 12 m 30 cm + 7 m 90 cm

=

답

2 예지는 학교에서 도서관을 지나 버스 정류장까지 걸어갔습니다. 예지가 걸어간 거리는 몇 m 몇 cm일까요?

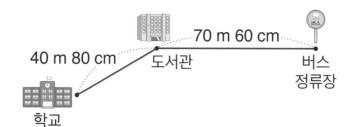

식

답

3 삼각형 모양의 화단이 있습니다. 화단의 세 변의 길이의 합을 구하세요.

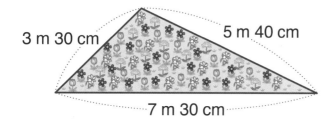

식

답

1		3 m	30 cm
	+	4 m	20 cm

6		1 m	70 cm
	+	2 m	40 cm

2		7 m	10 cm
	+	6 m	65 cm

7		3 m	25 cm
	+	1 m	29 cm

3		3 m	75 cm
	+	5 m	55 cm

8		6 m	35 cm
	+	4 m	88 cm

4		6 m	37 cm
	+	9 m	60 cm

9		1 m	44 cm
	+	5 m	18 cm

5		8 m	95 cm
	+	4 m	50 cm

10		9 m	68 cm
	+	7 m	47 cm

1 지현이의 키는 **1 m 32 cm**이고,
유희의 키는 **1 m 40 cm**입니다.
두 사람의 키의 합은 몇 m 몇 cm일까요?

식

답 _____

2 멀리뛰기에서 기한이는 **1 m 26 cm**를 뛰었고,
기주는 기한이보다 **80 cm**를 더 멀리 뛰었습니다.
기주가 뛴 거리는 몇 m 몇 cm일까요?

식

답 _____

3 길이가 각각 **3 m 15 cm**, **5 m 45 cm**인 두 나무
막대를 겹치지 않게 이어 붙였습니다. 이어 붙인 나무
막대의 전체 길이는 몇 m 몇 cm일까요?

식

답 _____

4 높이가 **5 m 32 cm**인 소나무가
5년 동안 **180 cm** 더 자랐습니다.
소나무의 높이는 몇 m 몇 cm가 되었을까요?

식

답 _____

1

	m	cm
	8 m	60 cm
−	1 m	20 cm
	7 m	40 cm

m는 m끼리,
cm는 cm끼리 빼.

6

	m	cm
	6 m	67 cm
−	2 m	52 cm

2

	m	cm
	4 m	90 cm
−	2 m	40 cm
	m	cm

7

	m	cm
	9 m	79 cm
−	3 m	28 cm

3

	m	cm
	2 m	70 cm
−	1 m	10 cm
	m	cm

8

	m	cm
	5 m	45 cm
−	4 m	38 cm

4

	m	cm
	7 m	55 cm
−	3 m	30 cm
	m	cm

9

	m	cm
	3 m	93 cm
−	1 m	17 cm

5

	m	cm
	10 m	80 cm
−	8 m	15 cm
	m	cm

10

	m	cm
	24 m	41 cm
−	11 m	29 cm

나무 막대를 두 도막으로 나누려고 합니다. 다른 한 도막의 길이를 구하세요.

1

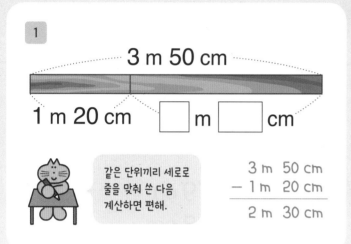

3 m 50 cm

1 m 20 cm   ☐ m ☐ cm

같은 단위끼리 세로로 줄을 맞춰 쓴 다음 계산하면 편해.

```
  3 m  50 cm
－ 1 m  20 cm
─────────────
  2 m  30 cm
```

2

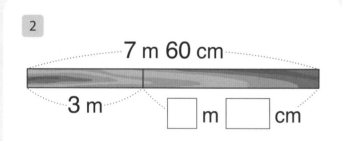

7 m 60 cm

3 m   ☐ m ☐ cm

3

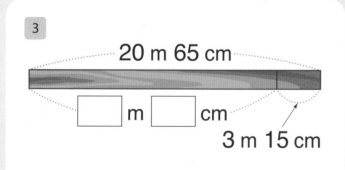

20 m 65 cm

☐ m ☐ cm

3 m 15 cm

4

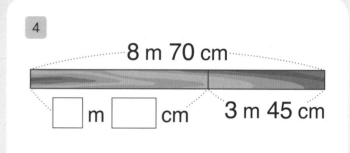

8 m 70 cm

☐ m ☐ cm   3 m 45 cm

5

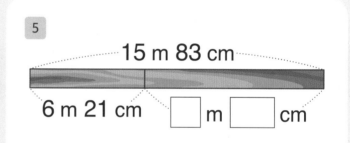

15 m 83 cm

6 m 21 cm   ☐ m ☐ cm

6

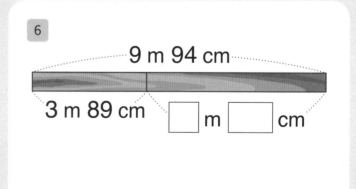

9 m 94 cm

3 m 89 cm   ☐ m ☐ cm

1 m = 100 cm로!

1

	5̶(6) m	100̶(60) cm
−	1 m	70 cm
	4 m	90 cm

6

	8 m	60 cm
−	4 m	80 cm

2

	5 m	40 cm
−	3 m	50 cm
	m	cm

7

	11 m	50 cm
−	6 m	75 cm

3

	9 m	20 cm
−	2 m	90 cm
	m	cm

8

	4 m	10 cm
−	1 m	32 cm

4

	3 m	30 cm
−	1 m	60 cm
	m	cm

9

	15 m	45 cm
−	2 m	95 cm

5

	7 m	25 cm
−	3 m	30 cm
	m	cm

10

	6 m	32 cm
−	2 m	67 cm

실제 길이와 친구들이 어림한 길이의 차를 구하세요.

1

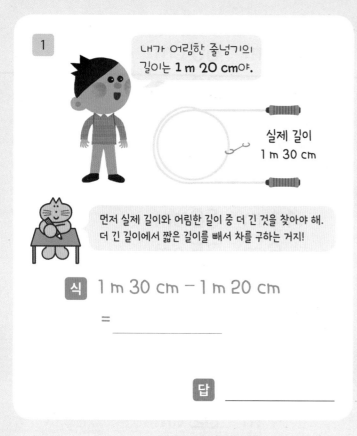

내가 어림한 줄넘기의 길이는 **1 m 20 cm**야.

실제 길이
1 m 30 cm

먼저 실제 길이와 어림한 길이 중 더 긴 것을 찾아야 해.
더 긴 길이에서 짧은 길이를 빼서 차를 구하는 거지!

식 1 m 30 cm − 1 m 20 cm

=_____

답 _____

2

난 리본의 길이를
1 m 10 cm라고
어림했어.

실제 길이
88 cm

식

답 _____

3

난 허리띠 길이가
1 m 65 cm라고
생각해.

실제 길이
1 m 15 cm

식

답 _____

4

내가 보기에
밧줄의 길이는
2 m 90 cm 같아.

실제 길이
3 m 35 cm

식

답 _____

1

	10 m	50 cm
−	8 m	30 cm

2

	9 m	20 cm
−	1 m	60 cm

3

	4 m	30 cm
−	2 m	45 cm

4

	2 m	78 cm
−	1 m	52 cm

5

	13 m	
−	11 m	35 cm

6

	6 m	95 cm
−	3 m	20 cm

7

	10 m	15 cm
−	3 m	80 cm

8

	8 m	64 cm
−	1 m	11 cm

9

	7 m	24 cm
−	4 m	32 cm

10

	5 m	14 cm
−	3 m	63 cm

1 국기 게양대의 높이는 8 m 40 cm이고,
가로등의 높이는 5 m 60 cm입니다.
국기 게양대는 가로등보다 몇 m 몇 cm 더 높을
까요?

식

답 _____

2 분홍색 리본의 길이는 11 m 55 cm이고,
초록색 리본의 길이는 6 m 25 cm입니다.
두 리본의 길이의 차는 몇 m 몇 cm일까요?

식

답 _____

3 선생님의 키는 1 m 82 cm이고,
정현이의 키는 선생님의 키보다 41 cm 작습니다.
정현이의 키는 몇 m 몇 cm일까요?

식

답 _____

4 길이가 10 m 30 cm인 철사가 있었습니다.
미술 시간에 375 cm를 사용했다면
남은 철사의 길이는 몇 m 몇 cm일까요?

식

답 _____

1

	4 m	80 cm
+	1 m	10 cm

6

	9 m	40 cm
−	7 m	30 cm

2

	5 m	60 cm
+	2 m	90 cm

7

	5 m	50 cm
−	4 m	80 cm

3

	9 m	30 cm
+	1 m	70 cm

8

	8 m	5 cm
−	1 m	8 cm

4

	2 m	36 cm
+	3 m	80 cm

9

	11 m	40 cm
−	3 m	65 cm

5

	6 m	93 cm
+	4 m	11 cm

10

	25 m	43 cm
−	6 m	19 cm

계산에서 잘못된 곳을 찾아 바르게 고치세요.

1

$$
\begin{array}{r}
3\ \text{m}\quad 50\ \text{cm} \\
+\ 4\ \text{m}\quad 80\ \text{cm} \\
\hline
7\ \text{m}\quad 30\ \text{cm}
\end{array}
$$

바른 계산

2

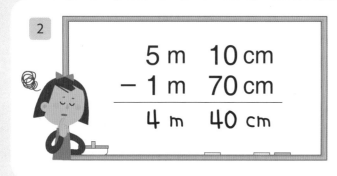

$$
\begin{array}{r}
5\ \text{m}\quad 10\ \text{cm} \\
-\ 1\ \text{m}\quad 70\ \text{cm} \\
\hline
4\ \text{m}\quad 40\ \text{cm}
\end{array}
$$

바른 계산

3

$$
\begin{array}{r}
9\ \text{m}\qquad\quad \\
-\ 3\ \text{m}\quad 25\ \text{cm} \\
\hline
6\ \text{m}\quad 25\ \text{cm}
\end{array}
$$

바른 계산

4

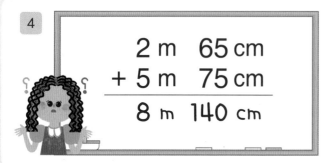

$$
\begin{array}{r}
2\ \text{m}\quad 65\ \text{cm} \\
+\ 5\ \text{m}\quad 75\ \text{cm} \\
\hline
8\ \text{m}\quad 140\ \text{cm}
\end{array}
$$

바른 계산

1

	m	cm
	2 m	20 cm
+	7 m	50 cm

2

	m	cm
	5 m	85 cm
−	4 m	20 cm

3

	m	cm
	8 m	80 cm
+	1 m	60 cm

4

	m	cm
	7 m	
−	1 m	85 cm

5

	m	cm
	3 m	48 cm
+	3 m	39 cm

6

	m	cm
	11 m	40 cm
−	2 m	60 cm

7

	m	cm
	3 m	15 cm
+	5 m	70 cm

8

	m	cm
	6 m	35 cm
−	2 m	90 cm

9

	m	cm
	7 m	27 cm
+	8 m	85 cm

10

	m	cm
	14 m	1 cm
−	10 m	5 cm

1 지호는 길이가 5 m인 끈으로 선물을 포장했더니 3 m 10 cm가 남았습니다. 선물을 포장하는 데 사용한 끈의 길이는 몇 m 몇 cm일까요?

식

답 _____

2 파란색 끈의 길이는 2 m 75 cm입니다. 빨간색 끈이 파란색 끈보다 45 cm 더 길다면 빨간색 끈의 길이는 몇 m 몇 cm일까요?

식

답 _____

3 길이가 1 m 50 cm인 고무줄을 양쪽에서 잡아당겼더니 3 m 35 cm가 되었습니다. 처음보다 더 늘어난 길이는 몇 m 몇 cm일까요?

식

답 _____

4 문구점에서 분식점을 거쳐 집까지 가는 거리는 문구점에서 집으로 바로 가는 거리보다 몇 m 몇 cm 더 멀까요?

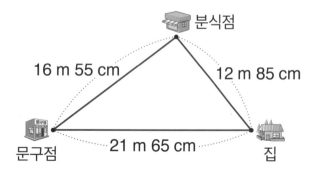

분식점

16 m 55 cm   12 m 85 cm

21 m 65 cm

문구점   집

답 _____

1

	1 m	25 cm
+	5 m	50 cm

6

	5 m	
−	3 m	70 cm

2

	8 m	76 cm
+	4 m	35 cm

7

	4 m	28 cm
+	1 m	7 cm

3

	6 m	30 cm
−	5 m	42 cm

8

	7 m	74 cm
−	4 m	20 cm

4

	9 m	43 cm
−	1 m	15 cm

9

	3 m	40 cm
+	3 m	85 cm

5

	7 m	97 cm
+	8 m	62 cm

10

	8 m	51 cm
−	2 m	55 cm

색 테이프 2장을 그림과 같이 겹치게 이어 붙였습니다.
이어 붙인 색 테이프의 전체 길이는 몇 m 몇 cm인지 구하세요.

1

1 m 70 cm | 1 m 70 cm

60 cm

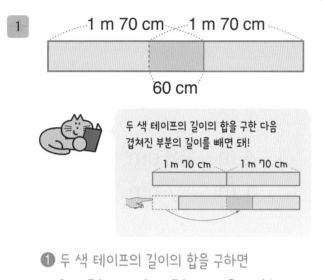

두 색 테이프의 길이의 합을 구한 다음
겹쳐진 부분의 길이를 빼면 돼!

1 m 70 cm | 1 m 70 cm

❶ 두 색 테이프의 길이의 합을 구하면

1 m 70 cm + 1 m 70 cm = 3 m 40 cm

❷ 겹친 부분의 길이를 빼면

3 m 40 cm - 60 cm = 2 m 80 cm

답 _____

3

3 m 44 cm | 6 m 10 cm

55 cm

답 _____

2

8 m 25 cm | 8 m 95 cm

3 m 60 cm

답 _____

4

10 m 81 cm | 7 m 54 cm

2 m 17 cm

답 _____

1 □ 안에 알맞은 수를 써넣으세요.

(1) 500 cm = □ m

(2) 9 m = □ cm

(3) 370 cm = □ m □ cm

(4) 2 m 5 cm = □ cm

(5) 1420 cm = □ m □ cm

(6) 23 m 61 cm = □ cm

2 길이의 합과 차를 구하세요.

(1)
$$\begin{array}{r} 2\ \text{m}\ \ 15\ \text{cm} \\ +\ 5\ \text{m}\ \ 70\ \text{cm} \\ \hline \end{array}$$

(2)
$$\begin{array}{r} 3\ \text{m}\ \ 35\ \text{cm} \\ -\ 2\ \text{m}\ \ 23\ \text{cm} \\ \hline \end{array}$$

(3)
$$\begin{array}{r} 4\ \text{m}\ \ 38\ \text{cm} \\ +\ 3\ \text{m}\ \ 91\ \text{cm} \\ \hline \end{array}$$

(4)
$$\begin{array}{r} 8\ \text{m}\ \ 60\ \text{cm} \\ -\ 5\ \text{m}\ \ 85\ \text{cm} \\ \hline \end{array}$$

(5) 5 m 40 cm + 4 m 90 cm
=

(6) 7 m 10 cm − 1 m 90 cm
=

(7) 2 m 87 cm + 6 m 23 cm
=

(8) 8 m − 5 m 20 cm
=

3 색 테이프를 보고 □ 안에 알맞은 수를 써넣으세요.

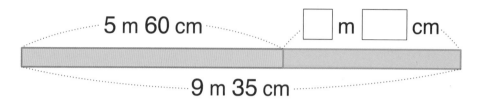

4 현주가 도서관에서 집을 지나 문구점까지 가는 거리는 몇 m 몇 cm일까요?

(   )

5 밤나무의 높이는 9 m 15 cm이고, 전나무의 높이는 밤나무의 높이보다 120 cm 더 낮습니다. 전나무의 높이는 몇 m 몇 cm일까요?

(   )

6 색 테이프 2장을 그림과 같이 겹치게 이어 붙였습니다. 이어 붙인 색 테이프의 전체 길이는 몇 m 몇 cm일까요?

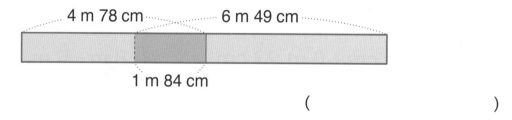

(   )

05

시각과 시간

·학습계열표·

이전에 배운 내용

1-2 시계 보기와 규칙 찾기
- 몇 시
- 몇 시 30분

▼

지금 배울 내용

2-2 시각과 시간
- 몇 시 몇 분
- 몇 시 몇 분 전
- 1시간
- 1일, 1주일, 1개월, 1년

▼

앞으로 배울 내용

3-1 길이와 시간
- 1초
- 시간의 합
- 시간의 차

· 학습기록표 ·

학습 일차	학습 내용	날짜	맞은 개수	
			연산	응용
DAY 41	**시각과 시간①** 5분, 1분 단위의 시각 읽기	/	/11	/5
DAY 42	**시각과 시간②** 몇 시 몇 분 전	/	/8	/5
DAY 43	**시각과 시간③** 시간과 분의 관계	/	/14	/4
DAY 44	**시간 사이의 관계①** 하루의 시간	/	/14	/5
DAY 45	**시간 사이의 관계②** 1주일, 1개월, 1년	/	/14	/6
DAY 46	**마무리 확인**	/		/17

책상에 붙여 놓고
매일매일 기록해요.

5. 시각과 시간

▶ 5분

시계의 긴바늘이 가리키는 숫자가
1이면 **5분**, 2이면 **10분**, 3이면 **15분**……
을 나타냅니다.

> **7시 15분**

┌ 짧은바늘: 7과 8 사이 ➡ 7시
└ 긴바늘: 3 ➡ 15분

▶ 1분

시계에서 긴바늘이 가리키는 작은 눈금
한 칸은 **1분**을 나타냅니다.

> **10시 11분**

┌ 짧은바늘: 10과 11 사이 ➡ 10시
└ 긴바늘: 2에서 작은 눈금으로 1칸 더 ➡ 11분

▶ 몇 시 몇 분 전

3시 50분은
4시가 되려면 10분이 더 지나야 합니다.

> **3시 50분 = 4시 10분 전**

▶ 1시간

시계의 긴바늘이 한 바퀴 도는 데 **60분**
의 시간이 걸립니다.

> **60분 = 1시간**

▶ 하루(1일)

- 하루는 **24시간**입니다.
- 전날 밤 12시부터 낮 12시까지 ➡ **오전**

  낮 12시부터 밤 12시까지 ➡ **오후**

1일 = 24시간

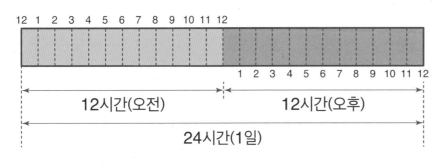

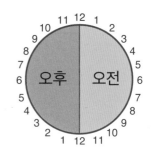

▶ 1주일, 1개월, 1년

1년은 1월부터 12월까지 있습니다. ➡ **12개월**

1주일은 **7일**입니다.

각 달의 날수는 28일부터 31일까지 있습니다.

같은 요일은 7일마다 반복됩니다.

월	1	2	3	4	5	6	7	8	9	10	11	12
날수(일)	31	28	31	30	31	30	31	31	30	31	30	31

2월은 4년에 1번씩 29일이 됩니다.

1주일 = 7일

1년 = 12개월

시각과 시간 ① 5분, 1분 단위의 시각 읽기

시각을 쓰세요.

1
+5분 +5분 +5분 +5분 +5분 +5분

10 시 25 분

5 긴바늘이 11에서 작은 눈금으로 2칸 더 갔어요.

☐ 시 ☐ 분

바로 개념

전자시계에서 왼쪽의 수는 시, 오른쪽의 수는 분을 나타냅니다.

시 분

10:48

➔ 10시 48분

2

☐ 시 ☐ 분

6

☐ 시 ☐ 분

9
11:29

☐ 시 ☐ 분

3

☐ 시 ☐ 분

7

☐ 시 ☐ 분

10
4:34

☐ 시 ☐ 분

4

☐ 시 ☐ 분

8

☐ 시 ☐ 분

11
6:51

☐ 시 ☐ 분

승우의 하루입니다. 시계를 보고 알맞은 시각을 쓰세요.

1

승우는 ___**7시 55분**___ 에 일어났습니다.

짧은바늘: 7과 8 사이 ➡ 7시
긴바늘: 11 ➡ 55분

2

_____ 에 학교에 도착하였습니다.

3

_____ 에 점심 식사를 하였습니다.

4

집에 돌아온 시각은 _____ 입니다.

5

_____ 에 저녁 식사를 하였습니다.

시각을 두 가지로 쓰세요.

1

−5분
−5분

| 2 | 시 | 50 | 분 |

| 3 | 시 | | 분 전 |

3시가 되려면
몇 분 남았을까?

6

| | 시 | | 분 |

| | 시 | | 분 전 |

2

| | 시 | | 분 |

| | 시 | | 분 전 |

4

| | 시 | | 분 |

| | 시 | | 분 전 |

7

| | 시 | | 분 |

| | 시 | | 분 전 |

3

| | 시 | | 분 |

| | 시 | | 분 전 |

5

| | 시 | | 분 |

| | 시 | | 분 전 |

8

| | 시 | | 분 |

| | 시 | | 분 전 |

1 지연이가 2시 10분 전에 집에 도착하였습니다.
지연이가 집에 도착한 시각은 몇 시 몇 분일까요?
└▶ 10분이 지나면 2시가 되는 거예요.

답 _____

2 야구 시합이 7시 15분 전에 시작하였습니다.
야구 시합이 시작한 시각은 몇 시 몇 분일까요?

답 _____

3 오늘 아침 학교에 승규가 9시 5분 전에 도착했고,
정원이는 8시 50분에 도착하였습니다.
학교에 더 일찍 도착한 사람은 누구일까요?

답 _____

4 영화가 1관에서는 4시 20분 전에 시작했고,
2관에서는 3시 45분에 시작하였습니다.
영화가 먼저 시작한 곳은 몇 관일까요?

답 _____

5 정류장에서 1번 버스가 10시 40분에 출발했고,
2번 버스는 11시 25분 전에 출발하였습니다.
더 늦게 출발한 버스는 몇 번 버스일까요?

답 _____

□ 안에 알맞은 수를 써넣으세요.

1 2시간 = | 120 | 분

> 1시간 + 1시간
> = 60분 + 60분
> = 120분

1시간 = 60분

2 3시간 = ☐ 분

3 1시간 15분 = ☐ 분

4 2시간 10분 = ☐ 분

5 1시간 30분 = ☐ 분

6 2시간 47분 = ☐ 분

7 3시간 23분 = ☐ 분

8 180분 = ☐ 시간

> 60분 + 60분 + 60분
> = 1시간 + 1시간 + 1시간

9 240분 = ☐ 시간

10 145분 = ☐ 시간 ☐ 분

11 110분 = ☐ 시간 ☐ 분

12 175분 = ☐ 시간 ☐ 분

13 78분 = ☐ 시간 ☐ 분

14 222분 = ☐ 시간 ☐ 분

| 시간 띠를 이용하여 시간 구하는 문제 |

두 시계를 보고 시간이 얼마나 지났는지 시간 띠에 나타내어 구하세요.

1

시작한 시각   끝낸 시각

7시 10분 20분 30분 40분 50분 8시 10분 20분 30분 40분 50분 9시

아침 식사를   아침 식사를
시작한 시각   끝낸 시각

답 _____30분_____

3

시작한 시각   끝낸 시각

4시 10분 20분 30분 40분 50분 5시 10분 20분 30분 40분 50분 6시

답 _____

2

시작한 시각   끝낸 시각

2시 10분 20분 30분 40분 50분 3시 10분 20분 30분 40분 50분 4시

답 _____

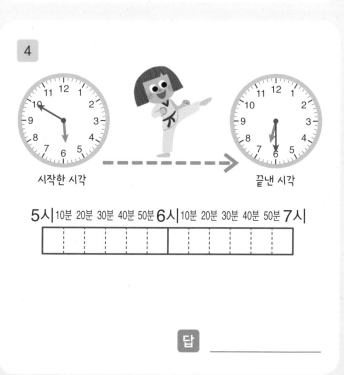

4

시작한 시각   끝낸 시각

5시 10분 20분 30분 40분 50분 6시 10분 20분 30분 40분 50분 7시

답 _____

□ 안에 알맞은 수를 써넣으세요.

1 2일 = $\boxed{48}$ 시간

1일 = 24시간

1일 + 1일
= 24시간 + 24시간
= 48시간

2 4일 = $\boxed{}$ 시간

3 1일 10시간 = $\boxed{}$ 시간

4 2일 1시간 = $\boxed{}$ 시간

5 1일 16시간 = $\boxed{}$ 시간

6 2일 11시간 = $\boxed{}$ 시간

7 3일 2시간 = $\boxed{}$ 시간

8 24시간 = $\boxed{}$ 일

9 36시간 = $\boxed{}$ 일 $\boxed{}$ 시간

10 48시간 = $\boxed{}$ 일

11 55시간 = $\boxed{}$ 일 $\boxed{}$ 시간

12 70시간 = $\boxed{}$ 일 $\boxed{}$ 시간

13 72시간 = $\boxed{}$ 일

14 85시간 = $\boxed{}$ 일 $\boxed{}$ 시간

1 상우는 100분 동안 영화를 보았습니다.
상우가 영화를 본 시간은 몇 시간 몇 분일까요?

60분은 1시간!
잊지 않았지?

100분 = 60분 + 40분
= 1시간 40분

답 __1시간 40분__

2 민희가 산 입구에서 정상까지 가는 데
2시간 15분이 걸렸습니다.
산 정상까지 가는 데 걸린 시간은 몇 분일까요?

답 _____

3 진서는 2일 5시간 후에 기차를 탑니다.
진서가 기차를 타는 것은 몇 시간 후일까요?

답 _____

4 배가 80시간 동안 바다를 항해하였습니다.
이 배가 바다를 항해한 기간은 며칠 몇 시간일까요?

답 _____

5 재훈이와 강희가 똑같은 책을 읽고 있습니다.
책을 끝까지 읽는 데 재훈이는 40시간이 걸렸고,
강희는 2일 8시간이 걸렸습니다.
누가 책을 더 빨리 읽었을까요?

답 _____

시간 사이의 관계 ② 1주일, 1개월, 1년

연산 up

□ 안에 알맞은 수를 써넣으세요.

1 2주일 = 14 일

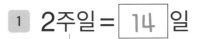
1주일 = 7일

1주일 + 1주일
= 7일 + 7일
= 14일

2 1주일 3일 = □ 일

3 2주일 1일 = □ 일

4 2주일 6일 = □ 일

5 7일 = □ 주일

6 16일 = □ 주일 □ 일

7 25일 = □ 주일 □ 일

8 3년 = □ 개월

1년 = 12개월

1년 + 1년 + 1년
= 12개월 + 12개월 + 12개월

9 1년 2개월 = □ 개월

10 2년 7개월 = □ 개월

11 3년 4개월 = □ 개월

12 24개월 = □ 년

13 20개월 = □ 년 □ 개월

14 31개월 = □ 년 □ 개월

어느 해의 달력을 보고 물음에 답하세요.

9월

일	월	화	수	목	금	토
		1	2	3	4	5
6	7	8	9	10		

1 9월 11일은 무슨 요일일까요?

답 _____

2 9월 중 금요일인 날짜를 모두 쓰세요.

답 _____

3 9월의 마지막 날은 무슨 요일일까요?

답 _____

10월

일	월	화	수	목	금	토
				1	2	3
4	5	6	7	8		

4 10월 20일은 무슨 요일일까요?

답 _____

5 10월 중 토요일은 모두 몇 번 있을까요?

답 _____

6 11월 1일은 무슨 요일일까요?

답 _____

1 시각을 쓰세요.

(1)
☐ 시 ☐ 분

(2)
☐ 시 ☐ 분

(3)
☐ 시 ☐ 분

2 시각을 두 가지로 쓰세요.

☐ 시 ☐ 분
☐ 시 ☐ 분 전

3 ☐ 안에 알맞은 수를 써넣으세요.

(1) **2시간 35분 =** ☐ **분**

(2) **160분 =** ☐ **시간** ☐ **분**

(3) **1일 11시간 =** ☐ **시간**

(4) **48시간 =** ☐ **일**

(5) **2주일 4일 =** ☐ **일**

(6) **26일 =** ☐ **주일** ☐ **일**

(7) **1년 3개월 =** ☐ **개월**

(8) **30개월 =** ☐ **년** ☐ **개월**

4 시계를 보고 알맞은 시각을 쓰세요.

혜선이는 _____ 에 줄넘기를 하였습니다.

5 학교 수업이 3시 20분 전에 끝났습니다. 학교 수업이 끝난 시각은 몇 시 몇 분일까요?

(   )

6 두 시계를 보고 시간이 얼마나 지났는지 시간 띠에 나타내어 구하세요.

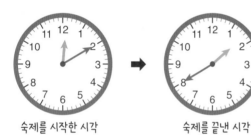

숙제를 시작한 시각   숙제를 끝낸 시각

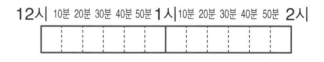

(   )

7 어느 체육 대회가 76시간 동안 열렸습니다. 체육 대회가 열린 기간은 며칠 몇 시간일까요?

(   )

8 어느 해의 6월 1일은 월요일입니다. 같은 해의 6월 22일은 무슨 요일일까요?

(   )

06

규칙 찾기

· 학습기록표 ·

학습 일차	학습 내용	날짜	맞은 개수	
			연산	응용
DAY 47	**규칙 찾기①** 덧셈표의 규칙	/	/6	/4
DAY 48	**규칙 찾기②** 곱셈표의 규칙	/	/3	/6
DAY 49	**규칙 찾기③** 생활 속 규칙	/	/4	/4
DAY 50	**마무리 확인**	/		/8

책상에 붙여 놓고
매일매일 기록해요.

6. 규칙 찾기

덧셈표

+	0	1	2	3
0	0	1	2	3
1	1	2	3	4
2	2	3	④	5
3	3	4	5	6

[0부터 3까지 수들의 합을 나타낸 덧셈표]

색칠한 부분의 세로줄과 가로줄에 있는 수를 **더해서**
두 줄이 만나는 칸에 두 수의 합을 써넣어 덧셈표를 만듭니다.

➡ **2 + 2** = 4

+	0	1	2	3	4	5	6	7	8	9
0	0	1	2	3	4	5	6	7	8	9
1	1	2	3	4	5	6	7	8	9	10
2	2	3	4	5	6	7	8	9	10	11
3	3	4	5	6	7	8	9	10	11	12
4	4	5	6	7	8	9	10	11	12	13
5	5	6	7	8	9	10	11	12	13	14
6	6	7	8	9	10	11	12	13	14	15
7	7	8	9	10	11	12	13	14	15	16
8	8	9	10	11	12	13	14	15	16	17
9	9	10	11	12	13	14	15	16	17	18

규칙 ❶ 오른쪽(➡ 방향)으로 갈수록 1씩 커집니다.

❷ 아래쪽(⬇ 방향)으로 갈수록 1씩 커집니다.

❸ ↘ 방향으로 2씩 커집니다.

❹ ↗ 방향으로 같은 수들이 있습니다.

×	1	2	3	4
1	1	2	3	4
2	2	4	6	8
3	3	6	9	12
4	4	8	12	16

[1부터 4까지 수들의 곱을 나타낸 곱셈표]

색칠한 부분의 세로줄에 있는 수와 가로줄에 있는 수를 **곱해서**
두 줄이 만나는 칸에 두 수의 곱을 써넣어 곱셈표를 만듭니다.

➡ **3 × 4** = **12**

×	1	2	3	4	5	6	7	8	9
1	1	2	3	4	5	6	7	8	9
2	2	4	6	8	10	12	14	16	18
3	3	6	9	12	15	18	21	24	27
4	4	8	12	16	20	24	28	32	36
5	5	10	15	20	25	30	35	40	45
6	6	12	18	24	30	36	42	48	54
7	7	14	21	28	35	42	49	56	63
8	8	16	24	32	40	48	56	64	72
9	9	18	27	36	45	54	63	72	81

❶ 1단부터 9단까지의 곱셈구구를 모아 놓은 표입니다.

규칙 ❷ ↓ 방향으로 갈수록 5씩 커집니다. ➡ 5단 곱셈구구

❸ → 방향으로 갈수록 4씩 커집니다. ➡ 4단 곱셈구구

❹ ↘ 방향으로 서로 같은 두 수끼리의 곱입니다.

❺ ↘를 따라 곱셈표를 접었을 때 만나는 수들은 서로 같습니다.

덧셈표를 완성하세요.

1

+	1	2	3	4	5
1	2	3	4	5	6
2	3	4			
3					
4					
5	6	7	8	9	10

4

+	0	2	4	6	8
4			8		
5			9		
6	6	8	10	12	14
7			11		
8			12		

2

+	3	4	5	6	7
5	8	9	10		
6	9	10	11		
7	10	11	12		
8	11	12	13		
9	12	13	14		

5

+	2	3	4	5	6
1	3				7
3		6		8	
5			9		
7		10		12	
9	11				15

3

+	5	6	7	8	9
3	8	9			12
4	9	10			13
5					
6					
7	12	13			16

6

+	1		5		9
0		3		7	
	3		7		11
4		7		11	
	7		11		15
8		11		15	

덧셈표에서 ▇▇으로 칠해진 수의 규칙을 찾아 쓰세요.

1

+	4	5	6	7	8
2	6	7		9	10
3	7	8	9		11
4	8	9	10		12
5	9		11	12	
6		11	12	13	14

규칙 ▶ 오른쪽으로 갈수록

1씩 커지는 규칙이 있습니다.

3

+	1	3	5	7	9
1	2		6	8	
3		6	8		12
5	6	8		12	14
7	8		12	14	
9		12	14		18

규칙 ▶ _____

2

+	2	4	6	8	10
2		6	8	10	
4	6		10	12	14
6	8	10			16
8	10	12	14		18
10		14	16	18	

규칙 ▶ _____

4

+	8	6	4	2	0
9	17		13		9
7	15		11		7
5	13		9		5
3	11		7		3
1	9		5		1

규칙 ▶ _____

곱셈표를 보고 규칙을 찾아 □ 안에 알맞은 수를 써넣으세요.

1

×	3	4	5	6
3	9	12	15	18
4	12	16	20	24
5	15	20	25	30
6	18	24	30	36

• → 방향으로 갈수록 $\boxed{3}$ 씩 커집니다.

• ↓ 방향으로 갈수록 $\boxed{}$ 씩 커집니다.

• ↑ 방향으로 갈수록 $\boxed{}$ 씩 작아집니다.

2

×	5	6	7	8
6	30	36	42	48
7	35	42	49	56
8	40	48	56	64
9	45	54	63	72

• → 방향으로 갈수록 $\boxed{}$ 씩 커집니다.

• ↓ 방향으로 갈수록 $\boxed{}$ 씩 커집니다.

• ← 방향으로 갈수록 $\boxed{}$ 씩 작아집니다.

3

×	3	5	7	9
2	6	10	14	18
4	12	20	28	36
6	18	30	42	54
8	24	40	56	72

• → 방향으로 갈수록 $\boxed{}$ 씩 커집니다.

• ← 방향으로 갈수록 $\boxed{}$ 씩 작아집니다.

• ↓ 방향으로 갈수록 $\boxed{}$ 씩 커집니다.

응용 UP 규칙 찾기②

곱셈표에서 규칙을 찾아 빈칸에 알맞은 수를 써넣으세요.

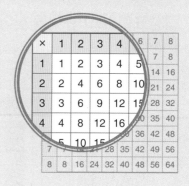

곱셈표는 같은 줄에서 아래로 내려가거나
오른쪽으로 갈수록 일정한 수만큼 커져!

1

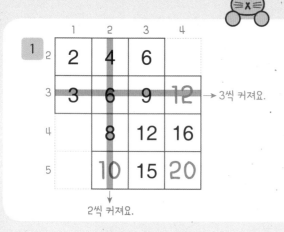

→ 3씩 커져요.

2씩 커져요.

2

15	20	25	30
18		30	
			42
		48	56

4

6	12		24	30
	14	21		35
		24	32	
				45

5

	12		
	16	20	24
15			30
	24	30	

3

		16	18
	21		27
24	28	32	
30		40	

6

		36	42	
35	42		56	
			64	72
45		63		

규칙 찾기③ 생활 속 규칙

| 달력에서 규칙 찾는 문제 |

1 어느 해의 4월 달력입니다. 수요일에 있는 수의 규칙을 찾아 쓰세요.

4월						
일	월	화	수	목	금	토
		1	2	3	4	5
6	7	8	9	10	11	12
13	14	15	16	17	18	19
20	21	22	23	24	25	26
27	28	29	30			

규칙 ▶
_____
_____

3 어느 해 9월 달력의 일부입니다. 이달의 27일은 무슨 요일일까요?

9월						
일	월	화	수	목	금	토
					1	2
3	4	5	6	7	8	9
10	11	12	13	14	15	
17						

답 _____

2 어느 해의 12월 달력입니다. ▬▬ 으로 칠해진 수의 규칙을 찾아 쓰세요.

12월						
일	월	화	수	목	금	토
1	2	3	4	5	6	7
8	9	10	11	12	13	14
15	16	17	18	19	20	21
22	23	24	25	26	27	28
29	30	31				

규칙 ▶
_____
_____

4 어느 해의 6월 달력의 일부입니다. 이달의 30일은 무슨 요일일까요?

6월						
일	월	화	수	목	금	토
			1	2	3	4
5	6	7	8	9	10	11
	13	14	15	16	17	

답 _____

| 수 배열에서 규칙 찾는 문제 |

1 승강기 안에 있는 숫자판에서 규칙을 찾아 쓰세요.

규칙 ▶ 위아래로 ☐ 층씩 차이가 납니다.

3 번호표가 떨어진 사물함이 있습니다. 19번 사물함을 찾아 ○표 하세요.

2 전화기 숫자판에서 규칙을 찾아 쓰세요.

규칙 ▶ _____

_____

4 어느 영화관의 자리 배열표입니다. 경호의 자리가 마열 셋째 번이라면 경호가 앉을 의자의 번호는 몇 번일까요?

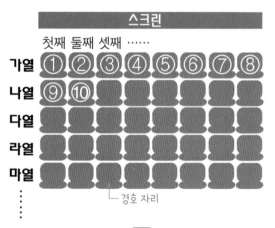

답 _____

1 덧셈표와 곱셈표를 완성하세요.

(1)

+	4	5	6	7	8
2	6	7		9	10
3					
4	8	9		11	12
5					
6	10	11		13	14

(2)

×	1	3	5	7	9
4		12	20		36
5	5		25		45
6	6	18			54
7					
8	8	24	40		

2 덧셈표와 곱셈표를 보고 규칙을 찾아 □ 안에 알맞은 수를 써넣으세요.

(1)

+	2	3	4	5
1	3	4	5	6
3	5	6	7	8
5	7	8	9	10
7	9	10	11	12

· ↘ 방향으로 갈수록 □ 씩 커집니다.

· ↑ 방향으로 갈수록 □ 씩 작아집니다.

· → 방향으로 갈수록 □ 씩 커집니다.

(2)

×	2	3	4	5
1	2	3	4	5
3	6	9	12	15
5	10	15	20	25
7	14	21	28	35

· → 방향으로 갈수록 □ 씩 커집니다.

· ↑ 방향으로 갈수록 □ 씩 작아집니다.

· ↓ 방향으로 갈수록 □ 씩 커집니다.

3 덧셈표와 곱셈표에서 ▬ 으로 칠해진 수의 규칙을 찾아 쓰세요.

(1)

+	1	2	3	4
6	7	8	9	10
7	8	9	10	11
8	9	10	11	12
9	10	11	12	13

규칙 _____

(2)

×	2	4	6	8
2	4	8	12	16
4	8	16	24	32
6	12	24	36	48
8	16	32	48	64

규칙 _____

4 곱셈표에서 규칙을 찾아 빈칸에 알맞은 수를 써넣으세요.

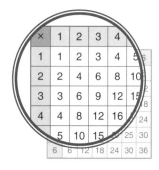

		8		12
	9		15	18
8	12		20	
10		20		

5 어느 해 8월 달력의 일부입니다. 이달의 31일은 무슨 요일일까요?

8월						
일	월	화	수	목	금	토
			1	2	3	4
5	6	7	8	9	10	11
12	13		15	16	17	

(   )

·메모·

· 메모 ·

앗!

본책의 정답과 풀이를 분실하셨나요?
길벗스쿨 홈페이지에 들어오시면 내려받으실 수 있습니다.
https://school.gilbut.co.kr/

기적의 계산법 응용 UP

정답과 풀이

초등 2학년 **4**권

4권

01 네 자리 수

DAY	
1	
11쪽	
12쪽	

연산 UP

1	1000	4	4000
2	1000	5	7, 7000
3	1000	6	6, 6000

응용 UP

1	4, 40, 400, 4000	4	1000, 2000, 3000, 4000
2	5000, 8000, 3000, 9000	5	1000, 1000, 1000, 1000
3	2500, 3300, 7400, 8600	6	6000, 6000, 6000, 6000

DAY	
2	
13쪽	
14쪽	

연산 UP

1	천삼백오십사	8	3175
2	오천	9	2400
3	삼천삼백십팔	10	5319
4	이천구백삼십사	11	9522
5	사천팔백구	12	8676
6	칠천오십육	13	6204
7	팔천사백구십일	14	4003

응용 UP

1	3516원	4	2300원
2	2047원	5	1430원
3	5401원	6	2242원

연산 UP 수를 읽을 때에는 각 자리 숫자가 나타내는 값(자리의 숫자＋자릿값)을 앞에서부터 차례로 읽습니다.

2 5000 ➡ 오천
└ 숫자가 0인 자리는 읽지 않습니다.

3 3318 ➡ 삼천삼백십팔
└ 숫자가 1인 자리는 자릿값만 읽습니다.

DAY	
3	
15쪽	
16쪽	

연산 UP

1	3497	5	2551
2	4738	6	3175
3	1246	7	5924
4	9803	8	6012

응용 UP

1	3600원
2	6389개
3	3240원
4	4861권

연산 UP

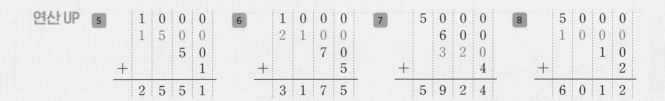

⑤
```
    1 0 0 0
    1 5 0 0
        5 0
         1
+
    2 5 5 1
```

⑥
```
    1 0 0 0
    2 1 0 0
        7 0
         5
+
    3 1 7 5
```

⑦
```
    5 0 0 0
      6 0 0
      3 2 0
         4
+
    5 9 2 4
```

⑧
```
    5 0 0 0
    1 0 0 0
        1 0
         2
+
    6 0 1 2
```

응용 UP

② 1000개씩 6상자 ➡ 6000개
　 100개씩 3상자 ➡ 300개
　 10개씩 8봉지 ➡ 80개
　 낱개 9개 ➡ 9개
　 전체 구슬 ➡ 6389개

③ 1000원짜리 2장 ➡ 2000원
　 100원짜리 12개 ➡ 1200원
　 10원짜리 4개 ➡ 40원
　 저금통 돈 ➡ 3240원

④ 100권씩 47상자 ➡ 4700권
　 10권씩 16묶음 ➡ 160권
　 낱권 1권 ➡ 1권
　 전체 공책 ➡ 4861권

DAY 4

17쪽
18쪽

연산 UP

1 1000, 100, 60, 8 / 1000, 100, 60, 8
2 2000, 300, 40, 5 / 2000, 300, 40, 5
3 7000, 700, 70, 7 / 7000, 700, 70, 7
4 9000, 0, 30, 1 / 9000, 0, 30, 1
5 4000, 600, 0, 8 / 4000, 600, 0, 8

응용 UP

1 4, 30, 230, 1000
2 3, 33, 333, 300
3 9000, 800, 70, 9006
4 5, 805, 800, 4800
5 20, 120, 100, 6020

DAY 5

19쪽
20쪽

연산 UP

1 3, 1, 5, 9
2 5, 0, 3, 9
3 8, 4, 7, 6
4 3000, 100, 40, 8
5 6, 50, 400, 7000
6 90, 5000, 3, 200

응용 UP

1 6354
2 8207
3 2857
4 7633

응용 UP

② 백의 자리 숫자가 나타내는 값이 200이므로 백의 자리 숫자는 2입니다.

③ 밑줄 친 숫자 5가 나타내는 값은 413<u>5</u> ➡ 5, <u>5</u>692 ➡ 5000, 28<u>5</u>7 ➡ 50, 1<u>5</u>40 ➡ 500
따라서 밑줄 친 숫자 5가 50을 나타내는 수는 2857입니다.

④ 십, 일의 자리 숫자는 3이고,
백의 자리 숫자는 일의 자리 숫자 3보다 3만큼 더 크므로 6입니다.

천 백 십 일
| 7 | 6 | 3 | 3 |
↑
3+3

연산 UP

1 6500, 7500, 8500, 9500

2 6778, 6788, 6798, 6808

3 5918, 5919, 5922

4 4482, 4882, 4982

5 1059, 4059, 5059, 7059

6 8828, 8830, 8832

7 5443, 5413, 5403

응용 UP

1 8084

2 9362

3 2358

4 3810원

5 5480개

연산 UP 6 8827 — 8828 — 8829

2번 뛰어서 세어
일의 자리 숫자가 2 커졌으므로
1씩 뛰어서 센 것입니다.

7 5463 — 5453 — 5443

10씩 거꾸로
뛰어서 센 것입니다.

응용 UP 2 9312 – 9322 – 9332 – 9342 – 9352 – 9362 3 2658 – 2558 – 2458 – 2358

4 3310 – 3410 – 3510 – 3610 – 3710 – 3810 5 5520 – 5510 – 5500 – 5490 – 5480

연산 UP

1 <   9 >

2 >   10 >

3 >   11 <

4 <   12 <

5 <   13 <

6 >   14 >

7 >   15 >

8 <   16 <

응용 UP

1 정훈

2 동화책

3 필통

4 서혜네 학교

5 이모

응용 UP 1 2658 < 2749   2 6276 > 5560   3 3610 < 3690   4 1217 > 1128

5 태어난 해의 수가 작을수록 먼저 태어난 사람입니다.

1983 > 1980이므로 이모가 먼저 태어났습니다.

연산 UP

1	6000	4000	5000

2	4900	4908	5001

3	2650	2100	3080

4	4355	3227	4125

5	9785	9877	9873

6	5847	5581	5102

7	1736	1794	1683

8	7676	7667	7609

9	8255	8258	8522

10	6459	6958	6559

11	1575	1271	1157

12	7683	7088	7806

응용 UP

1 8024, 5535, 7749

2 1593, 3717, 6500

응용 UP

1 8024 > 7749 > 7512 > 6713 > 5535

2 6500 > 4186 > 3717 > 2525 > 1593

연산 UP

1 8754, 4578

2 9762, 2679

3 8430, 3048

4 7542, 1245

5 8654, 4056

6 9753, 1357

응용 UP

1 8362

2 3519

3 4762

4 1059

응용 UP

2 십의 자리에 1을 쓰고, 남은 카드를 작은 수부터 차례로 씁니다.

천 백 십 일   천 백 십 일

| | | | 1 | → | 3 | 5 | 1 | 9 |

3 천의 자리에 4를 쓰고, 남은 카드를 큰 수부터 차례로 씁니다.

| 4 | | | | → | 4 | 7 | 6 | 2 |

4 일의 자리에 9를 쓰고, 남은 카드 중 작은 수부터 차례로 3개를 쓰면 0, 1, 5입니다.
이때 0은 맨 앞 자리에 쓸 수 없으므로 백의 자리에 0을 쓰고, 천의 자리에는 1을 씁니다.

| | | | 9 | → | 1 | 0 | 5 | 9 |

1 2197, 이천백구십칠

2 9, 3, 5 / 900, 30, 5 / 4000, 900, 30, 5

3 (1) 7, 5, 0, 8   (2) 5, 80, 400, 9000

4 (1) <   (2) >

5 6539개

6 8107

7 6150

8 가지

9 2756

4 (1) 3759 ⓒ 3795   (2) 6320 ⓒ 6297

        5<9   3>2

5   1000개씩 6상자 ➡ 6000개
         10개씩 53봉지 ➡ 530개
          낱개 9개   ➡   9개
         ─────────────────
          전체 단추 ➡ 6539개

6 천 백 십 일
     ┌─┬─┬─┬─┐
     │8│1│0│7│ ➡ 8107
     └─┴─┴─┴─┘

7 1000씩 뛰어서 세면 천의 자리 숫자가 1씩 커집니다.
    1150 – 2150 – 3150 – 4150 – 5150 – 6150

8 3358<3583이므로 가지를 더 많이 수확했습니다.

9 먼저 백의 자리에 7을 쓰고, 남은 카드를 작은 수부터 차례로 천, 십, 일의 자리에 써넣습니다.
    ┌─┬─┬─┬─┐   ┌─┬─┬─┬─┐
    │ │7│ │ │ ➡ │2│7│5│6│
    └─┴─┴─┴─┘   └─┴─┴─┴─┘

02 곱셈구구(1)

연산 UP

1	3, 4	6	4, 6
2	6, 2	7	3, 7
3	5, 3	8	7, 8
4	8, 4	9	1, 9
5	9, 5	10	2, 8

응용 UP

1	2, 5 / 2, 5 / 2, 5	4	3, 8 / 3, 8 / 3, 8 / 3, 8
2	5, 6 / 5, 6 / 5, 6 / 5, 6	5	4 / 4, 9 / 4, 9 / 4, 9
3	7, 4 / 7, 4 / 7, 4 / 7, 4	6	9, 7 / 9, 7 / 9, 7 / 6

연산 UP

1	2	18	3	3	27
	4	16		6	24
	6	14		9	21
	8	12		12	18
	10	10		15	15
	12	8		18	12
	14	6		21	9
	16	4		24	6
	18	2		27	3

2	5	45	4	4	36
	10	40		8	32
	15	35		12	28
	20	30		16	24
	25	25		20	20
	30	20		24	16
	35	15		28	12
	40	10		32	8
	45	5		36	4

응용 UP

1 출발 → 2, 20, 15, 24 / 4, 6, 12, 18 → / 5, 8, 10, 16 / 8, 9, 12, 14

2 21, 28, 35, 40 / 8, 40, 30, 45 → / 출발 → 5, 20, 25, 30 / 10, 15, 18, 24

3 6, 9, 28, 36 / 출발 → 3, 12, 15, 20 / 9, 16, 18, 27 → / 8, 20, 21, 24

4 15, 20, 24, 32 / 12, 16, 28, 27 / 8, 20, 32, 36 → / 출발 → 4, 10, 40, 22

응용 UP
1 2 → 4 → 6 → 8 → 10 → 12 → 14 → 16 → 18
2 5 → 10 → 15 → 20 → 25 → 30 → 35 → 40 → 45
3 3 → 6 → 9 → 12 → 15 → 18 → 21 → 24 → 27
4 4 → 8 → 12 → 16 → 20 → 24 → 28 → 32 → 36

연산 UP

1	2, 16, 8	5	10, 14, 4	9	12, 6, 18
2	27, 18, 6	6	3, 9, 12	10	21, 15, 24
3	12, 32, 20	7	36, 8, 28	11	4, 16, 24
4	30, 35, 20	8	5, 25, 45	12	10, 40, 15

응용 UP

1	2, 4, 6, 8	5	3, 12, 27, 9
2	15, 20, 25, 30	6	16, 14, 12, 4
3	18, 21, 24, 27	7	8, 16, 32, 36
4	16, 20, 24, 28	8	5, 25, 35, 45

응용 UP

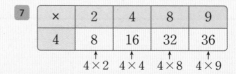

2	×	3	4	5	6
	5	15	20	25	30

5×3 5×4 5×5 5×6

7	×	2	4	8	9
	4	8	16	32	36

4×2 4×4 4×8 4×9

연산 UP

1	2	10	30	19	3
2	45	11	27	20	8
3	9	12	32	21	6
4	28	13	8	22	20
5	18	14	12	23	16
6	18	15	25	24	35
7	20	16	14	25	24
8	10	17	4	26	21
9	6	18	40	27	10

응용 UP

1	12개
2	15장
3	8개
4	30개

응용 UP

1	4개씩 3대	2	3장씩 5개	3	2개씩 4마리	4	5개씩 6상자
	➡ 4×3=12		➡ 3×5=15		➡ 2×4=8		➡ 5×6=30

연산 UP

1	36	10	24	19	45
2	5	11	16	20	4
3	16	12	10	21	20
4	18	13	10	22	6
5	20	14	4	23	12
6	21	15	18	24	32
7	6	16	35	25	27
8	24	17	12	26	15
9	14	18	25	27	28

응용 UP

1	15권
2	14짝
3	12개
4	24개
5	27개

응용 UP 1 5권씩 3칸 2 2짝씩 7켤레 3 3개씩 4봉지 4 4개씩 6마리 5 3개씩 9대
➡ 5×3=15 ➡ 2×7=14 ➡ 3×4=12 ➡ 4×6=24 ➡ 3×9=27

연산 UP

1	4	10	4	19	3
2	5	11	3	20	2
3	4	12	2	21	7
4	9	13	5	22	2
5	2	14	3	23	5
6	8	15	5	24	4
7	9	16	4	25	5
8	1	17	2	26	5
9	6	18	3	27	4

응용 UP

1	3
2	7
3	9마리
4	8개

응용 UP 2 5×□=35 3 4개씩 □마리 → 36개 4 2송이씩 □개 → 16송이
➡ 5×7=35이므로 □=7 4×□=36 2×□=16
➡ 4×9=36이므로 □=9 ➡ 2×8=16이므로 □=8

연산 UP

1	3	10	5	19	9
2	5	11	3	20	5
3	6	12	4	21	3
4	7	13	2	22	8
5	9	14	5	23	6
6	3	15	2	24	2
7	4	16	4	25	5
8	5	17	3	26	9
9	7	18	5	27	4

응용 UP

1	8, 3, 2	4	6, 1, 2
2	9, 4, 5	5	6, 1, 8
3	5, 1, 0	6	4, 1, 6

1 (1) 5　　(2) 7　　(3) 8

2 (1) 12　(2) 16　(3) 24
　　(4) 15　(5) 8　　(6) 24
　　(7) 36　(8) 25　(9) 14

3 (1) 9　　(2) 5　　(3) 8
　　(4) 7　　(5) 3　　(6) 2
　　(7) 6　　(8) 4　　(9) 2

4 (1) 45, 30, 25, 20　　(2) 15, 18, 21, 24

5 식 $2×8=16$　답 16자루

6 35명

7 7

4 (1)

×	9	6	5	4
5	45	30	25	20

　　　　$5×9$　$5×6$　$5×5$　$5×4$

(2)

×	5	6	7	8
3	15	18	21	24

　　　　$3×5$　$3×6$　$3×7$　$3×8$

5 2자루씩 8상자 ➡ $2×8=16$

6 5명씩 7팀 ➡ $5×7=35$

7 $4×□=28$ ➡ $4×7=28$이므로 $□=7$

03 곱셈구구(2)

연산 UP

1	6	54
	12	48
	18	42
	24	36
	30	30
	36	24
	42	18
	48	12
	54	6

2	7	63
	14	56
	21	49
	28	42
	35	35
	42	28
	49	21
	56	14
	63	7

3	8	72
	16	64
	24	56
	32	48
	40	40
	48	32
	56	24
	64	16
	72	8

4	9	81
	18	72
	27	63
	36	54
	45	45
	54	36
	63	27
	72	18
	81	9

응용 UP

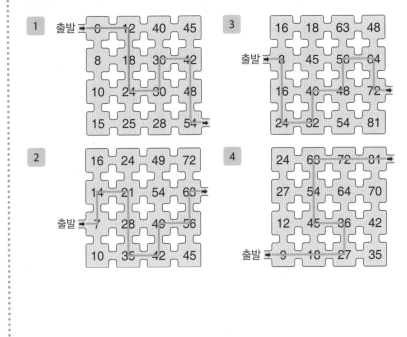

연산 UP

1	18, 24, 42
2	28, 35, 63
3	8, 64, 24
4	54, 18, 45

5	12, 54, 30
6	7, 21, 56
7	48, 16, 40
8	81, 36, 72

9	36, 6, 48
10	49, 14, 42
11	32, 72, 56
12	27, 63, 9

응용 UP

1	48명
2	63자루
3	35개
4	18개
5	32쪽

응용 UP
1 6명씩 8팀 → 6×8=48
2 9자루씩 7상자 → 9×7=63
3 7개씩 5명 → 7×5=35
4 6개씩 3상자 → 6×3=18
5 8쪽씩 4일 → 8×4=32

DAY 21

59쪽
60쪽

연산 UP

1	6	10	45	19	16
2	14	11	48	20	36
3	32	12	56	21	63
4	72	13	42	22	8
5	63	14	24	23	36
6	18	15	28	24	54
7	18	16	12	25	64
8	56	17	9	26	35
9	30	18	49	27	27

응용 UP

1 쪽지 시험 이름: 이○○
(1) 6×2 = 12
(2) 8×5 = 40
(3) 7×6 = 42
(4) 9×6 = ~~45~~ 54
(5) 8×8 = 64

3 쪽지 시험 이름: 강○○
(1) 8×6 = 48
(2) 7×4 = 28
(3) 6×9 = ~~56~~ 54
(4) 9×7 = ~~64~~ 63
(5) 7×3 = ~~24~~ 21

2 쪽지 시험 이름: 박○○
(1) 7×7 = ~~48~~ 49
(2) 9×3 = 27
(3) 6×5 = ~~36~~ 30
(4) 8×4 = ~~24~~ 32
(5) 6×7 = 42

4 쪽지 시험 이름: 최○○
(1) 7×5 = ~~56~~ 35
(2) 9×9 = ~~72~~ 81
(3) 8×3 = 24
(4) 6×6 = ~~30~~ 36
(5) 9×5 = 45

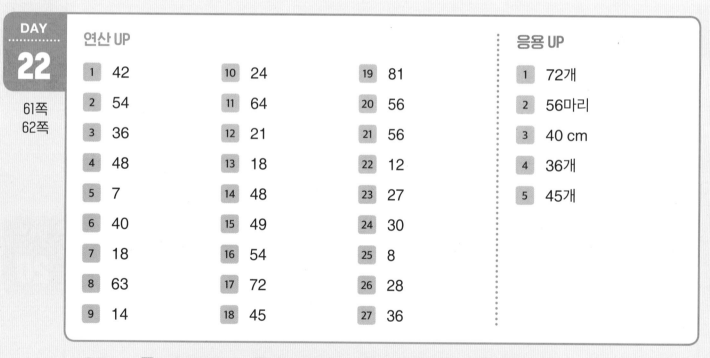

DAY 22

61쪽
62쪽

연산 UP

1	42	10	24	19	81
2	54	11	64	20	56
3	36	12	21	21	56
4	48	13	18	22	12
5	7	14	48	23	27
6	40	15	49	24	30
7	18	16	54	25	8
8	63	17	72	26	28
9	14	18	45	27	36

응용 UP

1	72개
2	56마리
3	40 cm
4	36개
5	45개

응용 UP
1 8개씩 9마리
➡ 8×9=72

2 7마리씩 8개
➡ 7×8=56

3 8 cm씩 5개
➡ 8×5=40

4 6개씩 6층
➡ 6×6=36

5 9개씩 5바구니
➡ 9×5=45

연산 UP

1	5	10	0	19	0
2	1	11	0	20	0
3	0	12	0	21	0
4	4	13	8	22	0
5	9	14	0	23	0
6	0	15	0	24	0
7	3	16	0	25	2
8	0	17	7	26	6
9	0	18	0	27	0

응용 UP

1	18점	4	36점
2	6점	5	14점
3	13점	6	11점

응용 UP

1 ❶ 6번: $1 \times 6 = 6$(점), ❸ 4번: $3 \times 4 = 12$(점)
➡ (얻은 점수)$= 6 + 12 = 18$(점)

2 ❶ 7번: $0 \times 7 = 0$(점), ❷ 3번: $2 \times 3 = 6$(점)
➡ (얻은 점수)$= 0 + 6 = 6$(점)

3 ❶ 1번: $0 \times 1 = 0$(점), ❶ 5번: $1 \times 5 = 5$(점)
❷ 4번: $2 \times 4 = 8$(점)
➡ (얻은 점수)$= 0 + 5 + 8 = 13$(점)

4 ❶ 2번: $1 \times 2 = 2$(점), ❸ 3번: $3 \times 3 = 9$(점)
❺ 5번: $5 \times 5 = 25$(점)
➡ (얻은 점수)$= 2 + 9 + 25 = 36$(점)

5 ❶ 6번: $0 \times 6 = 0$(점), ❷ 1번: $2 \times 1 = 2$(점)
❹ 3번: $4 \times 3 = 12$(점)
➡ (얻은 점수)$= 0 + 2 + 12 = 14$(점)

6 ❶ 4번: $0 \times 4 = 0$(점), ❶ 3번: $1 \times 3 = 3$(점)
❷ 1번: $2 \times 1 = 2$(점), ❸ 2번: $3 \times 2 = 6$(점)
➡ (얻은 점수)$= 0 + 3 + 2 + 6 = 11$(점)

연산 UP

1	8, 8	7	32, 32	12	54, 54
2	56, 56	8	10, 10	13	15, 15
3	6, 6	9	45, 45	14	16, 16
4	20, 20	10	18, 18	15	63, 63
5	27, 27	11	0, 0	16	28, 28
6	42, 42	바로개념 ➡ 같아에 ○표			

응용 UP

1 8, 24
6, 24
4, 24
3, 24

2 $2 \times 6 = 12$
$3 \times 4 = 12$
$4 \times 3 = 12$
$6 \times 2 = 12$

3 $4 \times 9 = 36$
$6 \times 6 = 36$
$9 \times 4 = 36$

4 $2 \times 9 = 18$
$3 \times 6 = 18$
$6 \times 3 = 18$
$9 \times 2 = 18$

DAY 25

연산 UP

1	18	10	16	19	12		
2	5	11	15	20	81		
3	28	12	54	21	10		
4	9	13	20	22	63		
5	35	14	6	23	32		
6	64	15	0	24	15		
7	0	16	8	25	21		
8	36	17	48	26	0		
9	16	18	45	27	32		

응용 UP

1 60쪽
2 42살
3 25개
4 3개

응용 UP

1 ❶ 8쪽씩 7일 ➡ $8 \times 7 = 56$
　❷ $56 + 4 = 60$(쪽)

3 ❶ 삼각형 3개 ➡ $3 \times 3 = 9$
　　사각형 4개 ➡ $4 \times 4 = 16$
　❷ $9 + 16 = 25$(개)

2 ❶ 9살의 5배 ➡ $9 \times 5 = 45$
　❷ $45 - 3 = 42$(살)

4 ❶ 사과: 5개씩 3봉지 ➡ $5 \times 3 = 15$
　　감: 6개씩 2봉지 ➡ $6 \times 2 = 12$
　❷ $15 - 12 = 3$(개)

DAY 26

연산 UP

1	5	10	7	19	6		
2	7	11	3	20	2		
3	1	12	4	21	0		
4	9	13	9	22	5		
5	4	14	0	23	2		
6	2	15	6	24	3		
7	8	16	1	25	7		
8	5	17	5	26	9		
9	0	18	8	27	6		

응용 UP

1 32
2 18
3 25
4 56

응용 UP

1 4단에서 곱이 30보다 큰 경우는 $4 \times 8 = 32$, $4 \times 9 = 36$ ➡ 이 중 8단에도 나오는 값은 $8 \times 4 = 32$

2 6단에서 곱에 숫자 8이 있는 경우는 $6 \times 3 = 18$, $6 \times 8 = 48$ ➡ 이 중 9단에도 나오는 값은 $9 \times 2 = 18$

3 $7 \times 4 = 28$이므로 똑같은 두 수의 곱이 20보다 크고 28보다 작은 것은 $5 \times 5 = 25$뿐입니다.

4 $7 \times 8 = 56$, $7 \times 9 = 63$ ➡ 이 중 십의 자리와 일의 자리 숫자의 곱이 30인 것은 56입니다.

연산 UP

1	3	10	1	19	4
2	5	11	8	20	3
3	1	12	9	21	5
4	8	13	4	22	8
5	7	14	0	23	8
6	4	15	2	24	5
7	3	16	0	25	6
8	9	17	8	26	7
9	6	18	3	27	2

응용 UP

1	6
2	9
3	8
4	42

응용 UP
2 $\square \times 3 = 27$ ➡ $9 \times 3 = 27$이므로 $\square = 9$
3 $5 \times \square = 40$ ➡ $5 \times 8 = 40$이므로 $\square = 8$
4 ❶ $\square \times 6 = 36$ ➡ $6 \times 6 = 36$이므로 $\square = 6$
❷ 어떤 수가 6이므로 $6 \times 7 = 42$

연산 UP

1

×	1	2	3	4
1	1	2	3	4
2	2	4	6	8
3	3	6	9	12
4	4	8	12	16

4

×	6	7	8	9
4	24	28	32	36
5	30	35	40	45
6	36	42	48	54
7	42	49	56	63

2

×	3	4	5	6
5	15	20	25	30
6	18	24	30	36
7	21	28	35	42
8	24	32	40	48

5

×	2	3	4	5
3	6	9	12	15
4	8	12	16	20
5	10	15	20	25
6	12	18	24	30

3

×	0	4	6	8
3	0	12	18	24
5	0	20	30	40
7	0	28	42	56
9	0	36	54	72

6

×	5	6	7	8
1	5	6	7	8
3	15	18	21	24
8	40	48	56	64
9	45	54	63	72

응용 UP

1 2단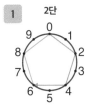
4 5단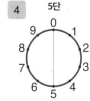
6 7단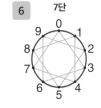
2 3단
5 6단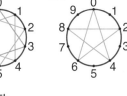
7 8단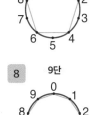
3 4단
8 9단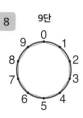

1 (1) 45   (2) 15   (3) 12

     (4) 8   (5) 54   (6) 63

     (7) 8   (8) 0   (9) 21

2 (1) 7   (2) 3   (3) 8

     (4) 4   (5) 8   (6) 0

     (7) 9   (8) 1   (9) 4

3 (1)

×	7	8	9
3	21	24	27
4	28	32	36
5	35	40	45

(2)

×	2	3	4
7	14	21	28
8	16	24	32
9	18	27	36

4 식 $8 \times 5 = 40$ 답 40개

5 9

6 15점

7 12

4 8개씩 5마리 ➡ $8 \times 5 = 40$(개)

5 어떤 수를 ☐라고 하면

     $☐ \times 9 = 81$ ➡ $9 \times 9 = 81$이므로 ☐ = 9

6 $0 \times 1 = 0$(점), $1 \times 3 = 3$(점), $2 \times 6 = 12$(점)

     ➡ (얻은 점수) = $0 + 3 + 12 = 15$(점)

7 $3 \times 7 = 21$이므로

     4단 곱셈구구에서 곱이 21보다 작은 경우를 찾아보면

     $4 \times 1 = 4$, $4 \times 2 = 8$, $4 \times 3 = 12$, $4 \times 4 = 16$, $4 \times 5 = 20$입니다.

     이 중에서 6단 곱셈구구에도 나오는 값은 $6 \times 2 = 12$입니다.

04 길이 재기

연산 UP

1	2	10	400
2	3	11	700
3	9	12	800
4	10	13	5000
5	4, 70	14	240
6	5, 54	15	815
7	7, 6	16	903
8	21, 45	17	1510
9	30, 8	18	4907

응용 UP

1	트럭
2	뱀
3	산
4	이모

응용 UP

2 3 m＝300 cm입니다. 300 cm＜340 cm이므로 뱀이 더 깁니다.

3 9800 cm＝98 m입니다. 98 m＜919 m이므로 산이 더 높습니다.

4 170 cm＝1 m 70 cm입니다. 1 m 78 cm＞1 m 70 cm이므로 이모가 더 작습니다.

연산 UP

1	3, 70	6	7 m 58 cm
2	10, 90	7	8 m 43 cm
3	8, 60	8	7 m 77 cm
4	16, 50	9	11 m 84 cm
5	9, 95	10	15 m 60 cm

응용 UP

1	4, 90	4	8, 62
2	12, 50	5	7, 90
3	13, 70	6	13, 91

응용 UP

2
$$\begin{array}{r} 5 \text{ m} \quad 30 \text{ cm} \\ +\ 7 \text{ m} \quad 20 \text{ cm} \\ \hline 12 \text{ m} \quad 50 \text{ cm} \end{array}$$

3
$$\begin{array}{r} 9 \text{ m} \quad 10 \text{ cm} \\ +\ 4 \text{ m} \quad 60 \text{ cm} \\ \hline 13 \text{ m} \quad 70 \text{ cm} \end{array}$$

4
$$\begin{array}{r} 3 \text{ m} \quad 26 \text{ cm} \\ +\ 5 \text{ m} \quad 36 \text{ cm} \\ \hline 8 \text{ m} \quad 62 \text{ cm} \end{array}$$

5
$$\begin{array}{r} 6 \text{ m} \quad 35 \text{ cm} \\ +\ 1 \text{ m} \quad 55 \text{ cm} \\ \hline 7 \text{ m} \quad 90 \text{ cm} \end{array}$$

6
$$\begin{array}{r} 7 \text{ m} \quad 24 \text{ cm} \\ +\ 6 \text{ m} \quad 67 \text{ cm} \\ \hline 13 \text{ m} \quad 91 \text{ cm} \end{array}$$

연산 UP

1	9, 30	6	7 m 18 cm
2	4, 40	7	13 m 11 cm
3	7, 10	8	10 m 20 cm
4	14, 20	9	8 m 29 cm
5	11, 5	10	16 m 34 cm

응용 UP

1 식 12 m 30 cm＋7 m 90 cm＝20 m 20 cm
답 20 m 20 cm

2 식 40 m 80 cm＋70 m 60 cm＝111 m 40 cm
답 111 m 40 cm

3 식 3 m 30 cm＋5 m 40 cm＋7 m 30 cm＝16 m
답 16 m

연산 UP

1	7 m 50 cm	6	4 m 10 cm
2	13 m 75 cm	7	4 m 54 cm
3	9 m 30 cm	8	11 m 23 cm
4	15 m 97 cm	9	6 m 62 cm
5	13 m 45 cm	10	17 m 15 cm

응용 UP

1 식 1 m 32 cm＋1 m 40 cm＝2 m 72 cm
답 2 m 72 cm

2 식 1 m 26 cm＋80 cm＝2 m 6 cm
답 2 m 6 cm

3 식 3 m 15 cm＋5 m 45 cm＝8 m 60 cm
답 8 m 60 cm

4 식 5 m 32 cm＋180 cm＝7 m 12 cm
답 7 m 12 cm

응용 UP 4 180 cm＝1 m 80 cm이므로
(소나무 높이)＝5 m 32 cm＋1 m 80 cm＝7 m 12 cm

DAY 34

89쪽
90쪽

연산 UP

1	7, 40
2	2, 50
3	1, 60
4	4, 25
5	2, 65
6	4 m 15 cm
7	6 m 51 cm
8	1 m 7 cm
9	2 m 76 cm
10	13 m 12 cm

응용 UP

1	2, 30
2	4, 60
3	17, 50
4	5, 25
5	9, 62
6	6, 5

응용 UP

2
```
    7 m  60 cm
 -  3 m
 ─────────────
    4 m  60 cm
```

3
```
   20 m  65 cm
 -  3 m  15 cm
 ─────────────
   17 m  50 cm
```

4
```
    8 m  70 cm
 -  3 m  45 cm
 ─────────────
    5 m  25 cm
```

5
```
   15 m  83 cm
 -  6 m  21 cm
 ─────────────
    9 m  62 cm
```

6
```
    9 m  94 cm
 -  3 m  89 cm
 ─────────────
    6 m   5 cm
```

DAY 35

91쪽
92쪽

연산 UP

1	4, 90
2	1, 90
3	6, 30
4	1, 70
5	3, 95
6	3 m 80 cm
7	4 m 75 cm
8	2 m 78 cm
9	12 m 50 cm
10	3 m 65 cm

응용 UP

1 식 1 m 30 cm−1 m 20 cm=10 cm
답 10 cm

2 식 1 m 10 cm−88 cm=22 cm
답 22 cm

3 식 1 m 65 cm−1 m 15 cm=50 cm
답 50 cm

4 식 3 m 35 cm−2 m 90 cm=45 cm
답 45 cm

연산 UP

1	2 m 20 cm	6	3 m 75 cm
2	7 m 60 cm	7	6 m 35 cm
3	1 m 85 cm	8	7 m 53 cm
4	1 m 26 cm	9	2 m 92 cm
5	1 m 65 cm	10	1 m 51 cm

응용 UP

1 식 8 m 40 cm−5 m 60 cm=2 m 80 cm
   답 2 m 80 cm

2 식 11 m 55 cm−6 m 25 cm=5 m 30 cm
   답 5 m 30 cm

3 식 1 m 82 cm−41 cm=1 m 41 cm
   답 1 m 41 cm

4 식 10 m 30 cm−375 cm=6 m 55 cm
   답 6 m 55 cm

응용 UP 4 375 cm=3 m 75 cm이므로

(남은 철사의 길이)=(처음 철사의 길이)−(사용한 길이)

=10 m 30 cm−3 m 75 cm=6 m 55 cm

연산 UP

1	5 m 90 cm	6	2 m 10 cm
2	8 m 50 cm	7	70 cm
3	11 m	8	6 m 97 cm
4	6 m 16 cm	9	7 m 75 cm
5	11 m 4 cm	10	19 m 24 cm

응용 UP

1
```
    3 m  50 cm
 +  4 m  80 cm
 ─────────────
    8 m  30 cm
```

2
```
    5 m  10 cm
 −  1 m  70 cm
 ─────────────
    3 m  40 cm
```

3
```
    9 m
 −  3 m  25 cm
 ─────────────
    5 m  75 cm
```

4
```
    2 m  65 cm
 +  5 m  75 cm
 ─────────────
    8 m  40 cm
```

응용 UP 1 m끼리 계산할 때 cm 단위에서 m 단위로 받아올림한 수 1을 더하지 않았습니다.

2 m끼리 계산할 때 cm 단위로 받아내림한 수 1을 빼지 않았습니다.

연산 UP

1	9 m 70 cm	6	8 m 80 cm
2	1 m 65 cm	7	8 m 85 cm
3	10 m 40 cm	8	3 m 45 cm
4	5 m 15 cm	9	16 m 12 cm
5	6 m 87 cm	10	3 m 96 cm

응용 UP

1 식 $5\text{ m}-3\text{ m }10\text{ cm}=1\text{ m }90\text{ cm}$
  답 1 m 90 cm

2 식 $2\text{ m }75\text{ cm}+45\text{ cm}=3\text{ m }20\text{ cm}$
  답 3 m 20 cm

3 식 $3\text{ m }35\text{ cm}-1\text{ m }50\text{ cm}=1\text{ m }85\text{ cm}$
  답 1 m 85 cm

4 7 m 75 cm

응용 UP　4 (문구점에서 분식점을 거쳐 집까지 가는 거리)$=16\text{ m }55\text{ cm}+12\text{ m }85\text{ cm}=29\text{ m }40\text{ cm}$
　　➡ $29\text{ m }40\text{ cm}-21\text{ m }65\text{ cm}=7\text{ m }75\text{ cm}$

연산 UP

1	6 m 75 cm	6	1 m 30 cm
2	13 m 11 cm	7	5 m 35 cm
3	88 cm	8	3 m 54 cm
4	8 m 28 cm	9	7 m 25 cm
5	16 m 59 cm	10	5 m 96 cm

응용 UP

1	2 m 80 cm
2	13 m 60 cm
3	8 m 99 cm
4	16 m 18 cm

응용 UP　2 ❶ (두 색 테이프의 길이의 합)$=8\text{ m }25\text{ cm}+8\text{ m }95\text{ cm}=17\text{ m }20\text{ cm}$
　　❷ (이어 붙인 색 테이프의 전체 길이)$=17\text{ m }20\text{ cm}-3\text{ m }60\text{ cm}=13\text{ m }60\text{ cm}$
　　3 ❶ (두 색 테이프의 길이의 합)$=3\text{ m }44\text{ cm}+6\text{ m }10\text{ cm}=9\text{ m }54\text{ cm}$
　　❷ (이어 붙인 색 테이프의 전체 길이)$=9\text{ m }54\text{ cm}-55\text{ cm}=8\text{ m }99\text{ cm}$
　　4 ❶ (두 색 테이프의 길이의 합)$=10\text{ m }81\text{ cm}+7\text{ m }54\text{ cm}=18\text{ m }35\text{ cm}$
　　❷ (이어 붙인 색 테이프의 전체 길이)$=18\text{ m }35\text{ cm}-2\text{ m }17\text{ cm}=16\text{ m }18\text{ cm}$

1 (1) 5   (2) 900

     (3) 3, 70   (4) 205

     (5) 14, 20   (6) 2361

2 (1) 7 m 85 cm   (2) 1 m 12 cm

     (3) 8 m 29 cm   (4) 2 m 75 cm

     (5) 10 m 30 cm   (6) 5 m 20 cm

     (7) 9 m 10 cm   (8) 2 m 80 cm

3 3, 75

4 137 m 18 cm

5 7 m 95 cm

6 9 m 43 cm

3 9 m 35 cm−5 m 60 cm=3 m 75 cm

4 75 m 28 cm+61 m 90 cm=137 m 18 cm

5 120 cm=1 m 20 cm입니다.
     (전나무의 높이)=9 m 15 cm−1 m 20 cm=7 m 95 cm

6 (색 테이프 2장의 길이의 합)=4 m 78 cm+6 m 49 cm=11 m 27 cm
     (이어 붙인 색 테이프의 전체 길이)=11 m 27 cm−1 m 84 cm=9 m 43 cm

05 시각과 시간

DAY
41

107쪽
108쪽

연산 UP

1 10, 25
2 7, 45
3 3, 5
4 9, 15
5 8, 57
6 1, 12
7 12, 38
8 2, 47
9 11, 29
10 4, 34
11 6, 51

응용 UP

1 7시 55분
2 8시 39분
3 12시 15분
4 3시 24분
5 6시 45분

응용 UP
2 짧은바늘: 8과 9 사이 ➡ 8시
   긴바늘: 7에서 작은 눈금 4칸 더 ➡ 39분
3 짧은바늘: 12와 1 사이 ➡ 12시
   긴바늘: 3 ➡ 15분
4 짧은바늘: 3과 4 사이 ➡ 3시
   긴바늘: 4에서 작은 눈금 4칸 더 ➡ 24분
5 짧은바늘: 6과 7 사이 ➡ 6시
   긴바늘: 9 ➡ 45분

DAY
42

109쪽
110쪽

연산 UP

1 2, 50 / 3, 10
2 6, 55 / 7, 5
3 10, 40 / 11, 20
4 9, 59 / 10, 1
5 7, 45 / 8, 15
6 11, 40 / 12, 20
7 4, 55 / 5, 5
8 8, 50 / 9, 10

응용 UP

1 1시 50분
2 6시 45분
3 정원
4 1관
5 1번 버스

응용 UP
3 승규가 학교에 도착한 시각은 8시 55분이므로 정원이가 승규보다 학교에 더 일찍 도착하였습니다.
4 1관에서 영화가 시작한 시각은 3시 40분이므로 1관 영화가 2관 영화보다 먼저 시작하였습니다.
5 2번 버스가 출발한 시각은 10시 35분이므로 1번 버스가 2번 버스보다 더 늦게 출발하였습니다.

111쪽
112쪽

연산 UP

1	120	8	3
2	180	9	4
3	75	10	2, 25
4	130	11	1, 50
5	90	12	2, 55
6	167	13	1, 18
7	203	14	3, 42

응용 UP

1 7시 10분 20분 30분 40분 50분 8시 10분 20분 30분 40분 50분 9시 , 30분

2 2시 10분 20분 30분 40분 50분 3시 10분 20분 30분 40분 50분 4시 , 1시간 또는 60분

3 4시 10분 20분 30분 40분 50분 5시 10분 20분 30분 40분 50분 6시 , 50분

4 5시 10분 20분 30분 40분 50분 6시 10분 20분 30분 40분 50분 7시 , 40분

연산 UP 3 1시간 15분＝1시간＋15분
＝60분＋15분＝75분

10 145분＝60분＋60분＋25분
＝1시간＋1시간＋25분＝2시간 25분

113쪽
114쪽

연산 UP

1	48	8	1
2	96	9	1, 12
3	34	10	2
4	49	11	2, 7
5	40	12	2, 22
6	59	13	3
7	74	14	3, 13

응용 UP

1	1시간 40분
2	135분
3	53시간 후
4	3일 8시간
5	재훈

연산 UP 3 1일 10시간＝24시간＋10시간＝34시간

9 36시간＝24시간＋12시간＝1일 12시간

응용 UP 2 1시간은 60분입니다.
2시간 15분＝1시간＋1시간＋15분＝60분＋60분＋15분＝135분

3 1일은 24시간입니다.
2일 5시간＝1일＋1일＋5시간＝24시간＋24시간＋5시간＝53시간

4 24시간＝1일이고 80＝24＋24＋24＋8이므로 80시간＝3일 8시간입니다.

5 강희가 책을 읽는 데 몇 시간 걸렸는지 단위를 바꾸어 비교합니다.
강희: 2일 8시간＝48시간＋8시간＝56시간
40＜56이므로 재훈이가 강희보다 책을 더 빨리 읽었습니다.

연산 UP

1 14
2 10
3 15
4 20
5 1
6 2, 2
7 3, 4
8 36
9 14
10 31
11 40
12 2
13 1, 8
14 2, 7

응용 UP

1 금요일
2 4일, 11일, 18일, 25일
3 수요일
4 화요일
5 5번
6 일요일

응용 UP 1 9월 10일이 목요일이므로 11일은 금요일입니다.

2 9월 4일이 금요일이므로 11일, 18일, 25일도 금요일입니다.

3 9월은 30일까지 있고, 30일, 23일, 16일, 9일, 2일의 요일이 같습니다.

7일 전 7일 전 7일 전 7일 전

2일이 수요일이므로 30일도 수요일입니다.

4 20일, 13일, 6일의 요일이 같습니다. 10월 6일이 화요일이므로 20일도 화요일입니다.

5 10월 3일이 토요일이므로 10일, 17일, 24일, 31일도 토요일입니다.

따라서 10월 중 토요일은 모두 5번 있습니다.

6 10월 31일이 토요일이므로 11월 1일은 일요일입니다.

---

1 (1) 4, 35   (2) 9, 26   (3) 10, 13

2 5, 45 / 6, 15

3 (1) 155   (2) 2, 40
(3) 35   (4) 2
(5) 18   (6) 3, 5
(7) 15   (8) 2, 6

4 6시 34분

5 2시 40분

6 12시 10분 20분 30분 40분 50분 1시 10분 20분 30분 40분 50분 2시

,

1시간 30분 또는 90분

7 3일 4시간

8 월요일

5 3시가 되려면 20분이 더 지나야 하므로 학교 수업이 끝난 시각은 2시 40분입니다.

6 12시 10분에 시작하여 1시 40분에 끝났습니다.

시간 띠에 나타내면 두 시각 사이는 9칸이고, 1칸이 10분이므로 90분=1시간 30분이 지났습니다.

7 24시간=1일이고, 76=24+24+24+4이므로 76시간=3일 4시간입니다.

8 같은 요일은 7일마다 반복되므로 6월 1일, 8일, 15일, 22일, 29일은 월요일입니다.

06 규칙 찾기

연산 UP

1

+	1	2	3	4	5
1	2	3	4	5	6
2	3	4	5	6	7
3	4	5	6	7	8
4	5	6	7	8	9
5	6	7	8	9	10

4

+	0	2	4	6	8
4	4	6	8	10	12
5	5	7	9	11	13
6	6	8	10	12	14
7	7	9	11	13	15
8	8	10	12	14	16

2

+	3	4	5	6	7
5	8	9	10	11	12
6	9	10	11	12	13
7	10	11	12	13	14
8	11	12	13	14	15
9	12	13	14	15	16

5

+	2	3	4	5	6
1	3	4	5	6	7
3	5	6	7	8	9
5	7	8	9	10	11
7	9	10	11	12	13
9	11	12	13	14	15

3

+	5	6	7	8	9
3	8	9	10	11	12
4	9	10	11	12	13
5	10	11	12	13	14
6	11	12	13	14	15
7	12	13	14	15	16

6

+	1	3	5	7	9
0	1	3	5	7	9
2	3	5	7	9	11
4	5	7	9	11	13
6	7	9	11	13	15
8	9	11	13	15	17

응용 UP

1. 오른쪽으로 갈수록 1씩 커지는 규칙이 있습니다.

2. 예 아래쪽으로 내려갈수록 2씩 커지는 규칙이 있습니다.

3. 예 ↘ 방향으로 갈수록 4씩 커지는 규칙이 있습니다.

4. 예 ↙ 방향으로 있는 수는 모두 9 입니다.

응용 UP

1

+	4	5	6	7	8
2	6	7	8	9	10
3	7	8	9	10	11
4	8	9	10	11	12
5	9	10	11	12	13
6	10	11	12	13	14

2

+	2	4	6	8	10
2	4	6	8	10	12
4	6	8	10	12	14
6	8	10	12	14	16
8	10	12	14	16	18
10	12	14	16	18	20

3

+	1	3	5	7	9
1	2	4	6	8	10
3	4	6	8	10	12
5	6	8	10	12	14
7	8	10	12	14	16
9	10	12	14	16	18

4

+	8	6	4	2	0
9	17	15	13	11	9
7	15	13	11	9	7
5	13	11	9	7	5
3	11	9	7	5	3
1	9	7	5	3	1

연산 UP

1 3, 3, 5

2 7, 8, 9

3 4, 12, 10

응용 UP

1

2	4	6	
3	6	9	12
	8	12	16
10	15	20	

4

6	12	18	24	30
	14	21	28	35
		24	32	40
			36	45

2

15	20	25	30
18	24	30	
28	35	42	
	40	48	56

5

12	15		
16	20	24	28
15	20	25	30
18	24	30	

3

	16	18	
21	24	27	
24	28	32	36
30	35	40	45

6

36	42	48	
35	42	49	56
	56	64	72
45	54	63	

응용 UP

2

×	3	4	5	6	7
5	15	20	25	30	
6	18	6×4	30		
7		7×4	7×5	42	
8			8×5	48	56

3

×	6	7	8	9
2			16	18
3		21	3×8	27
4	24	28	32	4×9
5	30	5×7	40	5×9

4

×	1	2	3	4	5
6	6	12	6×3	24	30
7		14	21	7×4	35
8			24	32	8×5
9				9×4	45

5

×	3	4	5	6	7
3		12	3×5		
4		16	20	24	4×7
5	15	5×4	5×5	30	
6	6×3	24	30		

6

×	5	6	7	8	9
6		36	42	6×8	
7	35	42	7×7	56	
8			8×7	64	72
9	45	9×6	63		

<table>
<tr><td rowspan="2">DAY 49
127쪽
128쪽</td><td colspan="2">

응용 UP

1 ⑩ 아래쪽으로 내려갈수록 7씩 커지는 규칙이 있습니다.

2 ⑩ ↘ 방향으로 갈수록 8씩 커지는 규칙이 있습니다.

3 수요일

4 목요일

</td><td colspan="2">

응용 UP

1 6

2 ⑩ 오른쪽으로 갈수록 1씩 커지는 규칙이 있습니다.

3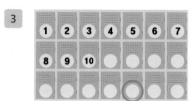

4 35번

</td></tr>
</table>

응용 UP
127쪽

1
  2 → 9 → 16 → 23 → 30
   +7 +7 +7 +7

2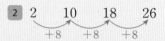
  2 → 10 → 18 → 26
   +8 +8 +8

3 27일, 20일, 13일, 6일이 같은 요일입니다.
  6일이 수요일이므로 27일도 수요일입니다.

4 30일, 23일, 16일, 9일, 2일이 같은 요일입니다.
  2일이 목요일이므로 30일도 목요일입니다.

응용 UP
128쪽

2 [다른 규칙] ⑩ 왼쪽으로 갈수록 1씩 작아지는 규칙이 있습니다.

3 위아래로 7씩 차이가 나므로 19, 12, 5번이 같은 줄에 있습니다.

4 ↓ 방향으로 갈수록 8씩 커지는 규칙이 있으므로 3, 11, 19, 27, 35가 같은 줄입니다.

DAY 50
129쪽
130쪽

1 (1)

+	4	5	6	7	8
2	6	7	8	9	10
3	7	8	9	10	11
4	8	9	10	11	12
5	9	10	11	12	13
6	10	11	12	13	14

(2)

×	1	3	5	7	9
4	4	12	20	28	36
5	5	15	25	35	45
6	6	18	30	42	54
7	7	21	35	49	63
8	8	24	40	56	72

2 (1) 3, 2, 1   (2) 5, 8, 6

3 (1) ⑩ ↘ 방향으로 갈수록 2씩 커지는 규칙이 있습니다.

(2) ⑩ ↓ 방향으로 갈수록 12씩 커지는 규칙이 있습니다.

4

	8	10	12	
	9	12	15	18
8	12	16	20	
10	15	20		

5 금요일

4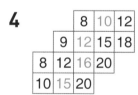

	2	3	4	5	6
2			8	2×5	12
3			9	3×4	15	18
4		8	12	4×4	20
5		10	5×3	20	

5 31일, 24일, 17일, 10일, 3일이 같은 요일입니다.
  3일이 금요일이므로 31일도 금요일입니다.

기적의 학습서

" 오늘도 한 뼘 자랐습니다. "